Traditionelle
SCHWEIZER REZEPTE

Traditional
SWISS CUISINE

Mit Rezepten von Peter Bührer
und Texten von Patrick Werschler

AT Verlag

Sämtliche Rezepte sind,
wenn nicht anders angegeben,
für 4 Personen berechnet.

Unless otherwise specified,
all recipes are for 4 people.

© 1994
AT Verlag Aarau/Schweiz
Illustrationen: Dora Wespi, Luzern
Rezeptfotos: Atelier König & König, Zürich
Landschaftsfotos:
Brigitte Zwahlen Auf der Maur, Bern (Seite 21, 33,
37, 41, 57, 61, 69, 77, 81, 85, 93)
Christof Sonderegger, Rheineck (Seite 5, 9, 25, 49)
H. + B. Dietz, Merlischachen (Seite 13, 17, 45)
Siegfried Eigstler, Thun (Seite 29, 53)
Roland Gerth, Thal (Seite 89)
Jiři Vurma, Aarau (Seite 65)
Ernst Fretz, Küttigen (Seite 73)
Übersetzung: Monty Sufrin
Satz, Lithos und Druck: Grafische Betriebe
Aargauer Tagblatt AG, Aarau
Bindearbeiten: Buchbinderei Schumacher AG, Schmitten
Printed in Switzerland

ISBN 3-85502-446-4

Inhalt – Contents

Die meisten Durchreisenden sehen kaum etwas von der Urner Landschaft. Das ist schade, denn der Kanton bietet weit mehr als nur Kulisse auf dem schnellsten Weg über oder durch die Alpen. Uri hatte seit dem Mittelalter durch seine Lage an der Gotthardroute eine grosse Bedeutung; selbst der Teufel habe beim ersten Brükkenbau über die wilde Reuss seine Hand im Spiel gehabt, wird erzählt. Sagen haben in diesem urchigen Bergkanton überhaupt eine lange Tradition. Zur Gründungslegende der Schweiz gehört auch die in Uri spielende Tellsage. Die Landschaft des Kantons ist vielgestaltig. Die Reussebene am Vierwaldstättersee ist weit. Fährt man jedoch talaufwärts, schieben sich die Bergflanken bedrohlich nahe an Strasse, Schiene und Fluss. Erst oberhalb der früher gefürchteten Schöllenenschlucht machen die Berge wieder dem Urserental Platz.

Uri

Most of the people who travel through Uri scarcely see the countryside. It's a pity because the canton offers far more than just a mountain backdrop on the fastest route over or through the Alps. Since the Middle Ages Uri has been important because of its access to the Gotthard. It's said that even the Devil played a role in the construction of the first bridge over the wild river Reuss. Legends have always been a popular tradition in the life of this mountain canton. For example the saga of William Tell takes place in Uri. The Uri landscape takes many forms. The Reuss plain on the Lake of Four Forest Cantons is wide, but as one travels higher up the valley, the sides of the mountains close in more and more threateningly over the road, the railway and the river. Only above the once feared Schöllenen Gorge do the mountains open up again to the Urseren Valley.

5

Älplermagronen
Makkaroni mit Kartoffeln und Käse

300 g Makkaroni
30 g Butter
2 grosse Zwiebeln, in Streifen geschnitten
1 Knoblauchzehe, gepresst
200 ml Rahm
50 g Bergkäse, gerieben
3 mittlere Kartoffeln, in der Schale gekocht
3 EL geschlagener Rahm
Salz, Pfeffer aus der Mühle

Die Makkaroni in gesalzenem Wasser al dente kochen. Abgiessen, kalt abspülen und abtropfen lassen.

Die Zwiebelstreifen in der Butter hellbraun dünsten. Den gepressten Knoblauch und den Rahm beigeben und aufkochen. 2 Minuten köcheln lassen. Die Makkaroni beigeben und gut mischen. Den geriebenen Käse beifügen und mit Salz und Pfeffer aus der Mühle würzen.

Die Kartoffeln schälen, in Scheiben schneiden und zusammen mit dem geschlagenen Rahm unter die Makkaroni heben. Nochmals erhitzen und in tiefe Teller anrichten.

Die Zutaten zu diesem typischen Rezept – Makkaroni, Kartoffeln und Käse – verraten, dass Uri genau an der Schnittstelle von Mittel- und Südeuropa liegt. Auch Reis gelangte schon früh von Italien in dieses Bergtal, und er trug im Nu zur Erfindung eines neuen einheimischen Gerichts bei, dem Milchreis.

Alpine Macaroni, Potatoes and Cheese

300 g/11 oz macaroni
30 g/1¼ oz butter
2 large onions, cut into strips
1 clove of garlic, crushed
200 ml /6 fl oz cream
50 g/2 oz mountain cheese, grated
3 medium-sized potatoes, boiled in their jackets
3 tablespoons whipped cream
salt, freshly ground pepper

Boil the macaroni in salted water until barely tender (al dente). Pour off the water and rinse with cold running water. Allow to drain.

Sauté the onion strips in the butter until golden-brown. Add the crushed garlic and cream and simmer for 2 minutes. Add the cooked macaroni and mix well. Add the grated cheese and season with salt and freshly ground pepper.

Peel the potatoes and slice. Add the potatoes and whipped cream to the macaroni. Reheat and serve in bowls.

The ingredients of this typical recipe—macaroni, potatoes and cheese—clearly show that Uri lies halfway between Central and Southern Europe. Rice also reached this mountain valley from Italy—and soon led to the discovery of a new local dish, rice pudding.

Dieser Kanton hat der Schweiz den Namen gegeben. Er war eines der drei Gründungsmitglieder der Eidgenossenschaft, die sich gegen die Unterdrückung der Habsburger auflehnten. Von weitem sichtbar ragen die Mythen über die grüne Hügellandschaft auf, die zwei markantesten Gipfel des Kantons. An deren Fuss liegt Schwyz mit seinen prächtigen alten Bürgerhäusern. Nahe ist auch Brunnen, dessen Seepromenade zum unbeschwerten Flanieren lädt. Der Blick schweift von hier über den See auf die Alpen und das Rütli, wo die Eidgenossenschaft 1291 gegründet wurde. Auch der bedeutendste Wallfahrtsort der Schweiz befindet sich auf Schwyzer Boden: Einsiedeln. Die schwarze Madonna in der barocken Kirche des Benediktinerstifts zieht jährlich Zehntausende von Pilgern an.

Schwyz

This is the canton that gave its name to the country. It was one of the three founding members of the Confederation which came together to free themselves of the oppression of the Habsburg family. Two of the most striking peaks in the canton, the Mythen, loom over the green rolling landscape. At the foot of the Mythen lies the city of Schwyz with its magnificent old houses. Nearby is the town of Brunnen, whose lakeside promenade is an invitation for carefree strolls. From here, the eye takes in the view over the lake to the Alps and the Rütli meadow where the representatives of the three founding cantons took their oath of allegiance in 1291. The canton of Schwyz also has the most important pilgrimage site in Switzerland: Einsiedeln. There the black Madonna in the baroque Benedictine abbey church attracts thousands of pilgrims each year.

9

Brännti Creme
Karamelcreme

180 g Zucker
100 ml Rahm
200 ml Crème double (Doppelrahm)
1 Zitrone, Saft

2 Eigelb
50 g Zucker
100 ml Rahm

Vanillerahm
150 ml Rahm, geschlagen
3 Vanillestengel
30 g Puderzucker

Den Zucker auf schwachem Feuer hellbraun karamelisieren. Den Rahm und die Crème double mit dem Saft der Zitrone dazugiessen. Den durch die Flüssigkeitszufuhr erstarrten Zucker durch Weiterköcheln wieder schmelzen.

Eigelb und Zucker miteinander schaumig rühren, den Rahm dazugiessen. Die heisse Karamelflüssigkeit unter starkem Rühren zur Eimasse giessen. Zurück in die Pfanne geben und bis knapp vor den Siedepunkt erhitzen. In einer Schüssel auskühlen lassen.

Für den Vanillerahm die Vanillestangen längs aufschneiden, den Vanillesamen auskratzen und zusammen mit dem Puderzucker unter den geschlagenen Rahm mischen.

Die kalte Karamelcreme in tiefe Teller anrichten und eine Haube Vanillerahm daraufsetzen.

In landwirtschaftlich dominierten Gebieten wie dem Kanton Schwyz waren nahrhafte Suppen mit Bohnen, Kohl oder Speck die Alltagskost. Süssspeisen aus Rahm und Eiern waren hier jedoch schon immer sehr beliebt. Die Einsiedler Konditoren sind bekannt für ihre Spezialitäten, denen wohl keiner widerstehen kann.

Caramel Custard

180 g/6½ oz sugar
100 ml/3 fl oz cream
200 ml/6 fl oz double cream
the juice of one lemon

2 egg yolks
50 g/2 oz sugar
100 ml/3 fl oz cream

Vanilla Sauce
150 ml/4.5 fl oz cream, whipped
30 g/1¼ oz icing sugar
3 dried vanilla beans

Caramelize the sugar over a low heat until it turns light brown. Add the cream, double cream and lemon juice. Cook the sugar, hardened by the addition of the liquid, until the mixture softens.

Beat the egg yolk and sugar until foamy and add the cream. Stirring vigorously, pour the hot caramel mixture into the eggs. Return to the pan and warm until just under the boiling point. Allow to cool in a bowl.

To prepare the vanilla sauce, cut the vanilla beans lengthwise and scoop out the seeds. Mix with the icing sugar and whipped cream.

Serve the cold caramel custard in bowls and top with the vanilla sauce.

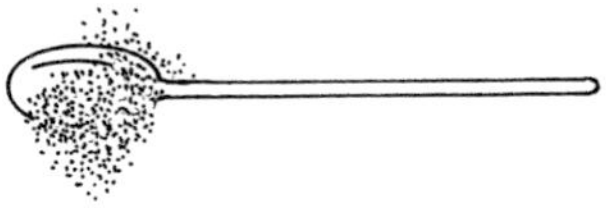

Hearty soups with beans, cabbage or ham were daily fare in agricultural areas such as the canton of Schwyz. Yet, desserts of eggs and cream have always been favorites. Nobody can resist the specialties which have made bakeries in Einsiedeln famous.

Die zwei Talschaften, die Unterwalden bilden, haben sich schon früh in die heutigen Halbkantone Ob- und Nidwalden geteilt. Wie die Urner und die Schwyzer gehörten die Unterwaldner zu den freiheitsliebenden Leuten, die 1291 die Eidgenossenschaft gründeten und sie gegen die Ritterheere der Habsburger verteidigten. Ende des 15. Jahrhunderts verhinderte nur die Vermittlung des aus Sachseln stammenden Nationalheiligen Niklaus von Flüe einen eidgenössischen Bürgerkrieg. Die beiden Halbkantone reichen vom Vierwaldstättersee bis zum Berner Oberland und sind wesentlich von Bergen und der Milchwirtschaft geprägt. Foklore wie Alphornblasen und Fahnenschwingen gehört hier zum Selbstverständnis. Desgleichen die Religion; unzählige Kapellen wie auch das in einem Hochtal gelegene Kloster Engelberg bezeugen dies.

Unterwalden

The two valley communities making up Unterwalden are divided into the half cantons of Ob- and Nidwalden. Like their compatriots from Uri and Schwyz, the people of Unterwalden founded the Confederation in 1291 and helped defend it against the Habsburgs. At the end of the 15th century, a civil war between the members of the Confederation was avoided thanks to the mediation of a national saint, Niklaus von Flüe, who came from the town of Sachseln in Obwalden. The two half cantons stretch from the Lake of Four Forest Cantons to the Bernese Oberland. Mountains and alpine dairy farming are the basic ingredients of life here. Alphorn blowing and flag swinging are part of the everyday cultural scene. The importance religion has in the canton is reflected in the numerous chapels and the presence of the Engelberg monastery.

Nidwaldner Stunggis und Ofetori
Schweinefleischeintopf mit Kartoffelgratin

Kartoffelgratin

700 g Kartoffeln, geschält, in kleine Würfel
geschnitten
100 ml Milch
100 ml Rahm
2 Eier, verquirlt
150 g geräucherter Speck, in kleine
Würfelchen geschnitten
40 g Greyerzer, gerieben
Salz, frisch geriebene Muskatnuss
Butter zum Überbacken

Eintopf

600 g Schweinefleisch (Schulter), in 30 g
schwere Würfel geschnitten
3 EL Pflanzenöl
40 g Butter
4 Zwiebeln, fein gehackt
400 ml Fleischbouillon
1 Lauchstengel, 4 kleine Karotten, 1 kleiner
Knollensellerie, 3 Kohlrabi, 1 Kopf Wirsing,
alle Gemüse gerüstet und in gleichmässige
Streifen oder Stengelchen geschnitten
1 Zweig Rosmarin, fein gehackt

Die Kartoffelwürfel in gesalzenem Wasser weich
kochen. Das Kochwasser abgiessen und die Kartoffeln pürieren. Milch und Rahm erhitzen und zum Kartoffelbrei geben. Die Eier, den Speck und den Käse
beigeben und alles gut vermengen. Mit Salz und
frisch geriebenem Muskat würzen.

Die Kartoffelmasse in eine feuerfeste Gratinform
füllen, mit Butterflocken bestreuen und im Ofen bei
180 Grad 20 Minuten überbacken.

Für den Eintopf die Fleischwürfel im heissen Öl gut
anbraten, dann aus der Pfanne heben und zur Seite
stellen. Das Öl abgiessen und im Bratensatz die
Butter erhitzen. Die Zwiebel darin andünsten. Das
Fleisch wieder beigeben und die Bouillon dazugiessen. Einen grossen, flachen Bräter ausbuttern,
den Boden mit Gemüse auslegen. Eine Lage Fleisch
darauf verteilen und mit einer weiteren Lage
Gemüse bedecken. So fortfahren, bis alle Zutaten
aufgebraucht sind. Die restliche Bouillon dazugiessen. Zudecken und im Ofen bei 180 Grad
1½ Stunden weich schmoren. Mit Salz, Pfeffer aus
der Mühle und Rosmarin würzen.

Den Eintopf zusammen mit dem Kartoffelgratin
servieren.

Die Küche der beiden Halbkantone Ob- und Nidwalden ist von der bergigen Natur geprägt und entsprechend einfach und nahrhaft. Käse, Kartoffeln,
Speck, Milch und Eier gehören hier zu den Grundzu-
taten der Gerichte, die oft fremdklingende Namen
wie «Stunggis», «Ofetori» oder «Cholermues»
tragen.

Pork Casserole
with Potato Gratin

Potato Gratin

700 g/1½ lb potatoes, peeled and diced
100 ml/3 fl oz milk
100 ml/3 fl oz cream
2 eggs, beaten with a whisk
150 g/5 oz smoked, bacon, diced
40 g/1½ oz Gruyere cheese, grated
salt, freshly ground nutmeg
butter for the gratin topping

Hot Pot Casserole

600 g/1⅓ lb shoulder of pork, cut into large,
30 g/1 oz cubes
3 tablespoons vegetable oil
40 g/1½ oz butter
4 onions, finely chopped
400 ml/12 fl oz meat stock
1 leek, 4 small carrots, 1 small celery root,
3 kohlrabi, 1 savoy cabbage, all vegetables
cleaned, trimmed and sliced in even strips
1 sprig of rosemary, finely chopped

Boil the diced potatoes in salted water until they are soft. Pour off the water and purée. Warm the milk and cream and add to the potatoes. Add the eggs, bacon and cheese and mix well. Season with salt and freshly ground nutmeg.

Place the mashed potato mixture in an oven-proof gratin dish. Sprinkle with flakes of butter and bake in the oven at 180 °C/350 °F/Mark 4 for 20 minutes.

For the casserole, brown the meat cubes in hot oil. Remove from the pan and set aside. Pour off the oil and heat the butter in the bits remaining in the pan. Add the onions and sauté. Return the meat to the pan and add the stock. Butter a large, flat roasting pan and cover the bottom with a layer of the vegetables. Add a layer of meat on top, followed by another layer of vegetables. Continue in this fashion until all the meat and vegetables have been arranged in the pan. Add the rest of the stock. Cover and roast in the oven at a temperature of 180 °C/350 °F/Mark 4 until tender, about 1½ hours. Season with salt, freshly ground pepper and rosemary.

Serve the casserole with the potato gratin.

The mountainous landscape of both half-cantons of Ob- and Nidwalden has influenced their simple, nourishing cuisine. Cheese, potatoes, bacon, milk and eggs are the basic ingredients of dishes with strange sounding names, such as "Stunggis", "Ofetori" or "Cholermues".

Die Stadt Luzern mit der Kapellbrücke vor der mächtigen Kulisse des Pilatus dürfte wohl der bekannteste Ort der Schweiz sein. Touristen aus aller Welt können hier nicht nur einen Einblick in die Schweizer Geschichte und in eine ihrer schönsten Landschaften gewinnen, sie können sich im Verkehrshaus auch über die technologische Entwicklung der Schweiz informieren. Das Panorama von der Rigi über den Vierwaldstättersee zu den Alpen und zurück übers Mittelland ist ein einmaliges Erlebnis. An den Ufern des Sees wächst eine fast südländische Vegetation mit Kastanienbäumen und sogar Palmen. Der westliche Kantonsteil ist dominiert von Napf und Entlebuch, einer von vielen kleinen Tälern durchzogenen voralpinen Moränenlandschaft, an deren Fuss malerische Städtchen und kleinere Seen zu einem Besuch einladen.

Luzern – Lucerne

The city of Lucerne with the covered Chapel Bridge and the mighty backdrop of the Pilatus is probably the best known place in Switzerland. Lucerne offers tourists a chance to get to know Swiss history and some of the country's most spectacular landscape. At the Transport Museum, you can also find out about the technological development of the country. The panoramic view from Mount Rigi over the Lake of Four Forest Cantons to the Alps and over the plateau region is a once-in-a-lifetime experience. By the shores of the lake there is subtropical vegetation with chestnut trees and palms. The western part of the canton is dominated by the Napf and Entlebuch, one of many small valleys criss-crossing the pre-alpine landscape, dotted with inviting picturesque towns and small lakes.

Luzerner Linseneintopf

300 g braune Linsen
30 g Butter
500 g roher, gesalzener Speck, in Streifen geschnitten
1 Zwiebel, fein gehackt
100 g Kochspeck, in Würfel geschnitten
1,2 l Fleischbouillon
500 g Kartoffeln, geschält, in Würfel geschnitten
4 Schweinswürstchen
40 g Butter
2 TL Kräuteressig
Salz, Pfeffer aus der Mühle
3 EL geschlagener Rahm

Die Linsen über Nacht in lauwarmem Wasser einweichen. In ein Sieb schütten und gut abtropfen lassen. Dann unter fliessendem kaltem Wasser nochmals kurz durchspülen.

Den Speck und die Zwiebel in der Butter andünsten. Die Linsen und die Kochspeckwürfel beigeben, kurz mitdünsten, dann die Bouillon dazugiessen. Zugedeckt auf kleinem Feuer etwa 1½ Stunden weich schmoren.

Nach einer Stunde Garzeit die Kartoffelwürfel und die Schweinswürstchen dazugeben und ½ Stunde mitkochen.

Die Butter darunterrühren, mit Essig, Salz und Pfeffer aus der Mühle abschmecken. Zuletzt den geschlagenen Rahm darunterziehen. Den Eintopf in tiefe Teller anrichten.

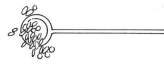

Luzern war immer einer der Hauptorte der Eidgenossenschaft. Diplomaten und Söldner brachten kulinarische Ideen aus ganz Europa mit. Eine Spezialität der Stadt ist die üppige «Chügelipastete». Nicht ein ausgefeiltes Rezept aus der Stadt, sondern ein einfaches, aber schmackhaftes Gericht aus der bäuerlichen Landschaft ist dieser Eintopf.

Lucerne-Style Lentil Hot Pot

300 g/11 oz brown lentils
30 g/1¼ oz butter
500 g/1 lb uncooked salted pork,
sliced in strips
1 onion, finely chopped
100 g/4 oz bacon, diced
1.2 l/1¼ qt meat stock
500 g/1 lb potatoes, peeled and cubed
4 pork sausages
40 g/1½ oz butter
2 teaspoons aromatic vinegar
salt, freshly ground pepper
3 tablespoons whipped cream

Soak the lentils overnight in luke warm water. Empty into a colander and allow to drain. Rinse under cold running water.

Sauté the pork and onion in the butter. Add the lentils and diced bacon. Fry gently together and add the stock. Cover and simmer over a gentle heat for about 1½ hours.

After about one hour, add the potato cubes and pork sausages and simmer for another ½ hour.

Stir in the butter, and season with vinegar, salt and freshly ground pepper. Add the whipped cream, stir, and serve in bowls.

Lucerne has always been one of the Confederation's capitals. Diplomats and mercenaries brought with them culinary ideas from all over Europe. A specialty of the city of Lucerne is "Chügelipastete", a vol-au-vent dish. Not a refined recipe from the city, but a simple, tasty dish, inspired by a rustic landscape is the hot pot presented here.

Die Stadt Zürich mit ihrer weltbekannten Bahnhofstrasse und dem nahegelegenen internationalen Flughafen ist das wirtschaftliche Nervenzentrum der Schweiz. Gerne wird aber über der Bedeutung der Stadt vergessen, dass die Landschaft zwischen Zürichsee und Rhein ebensoviel Interessantes und Sehenswertes zu bieten hat. Die Industrialisierung der Schweiz nahm in Winterthur und im Zürcher Oberland ihren Anfang, ohne aber eine öde Industrielandschaft zu hinterlassen. Die Dörfer des Zürcher Weinlandes sind geprägt vom hier traditionellen Riegelbaustil, der in sehr dekorativer Weise weisse Steinmauern und rotbemalte Holzbalken verwendet. In diesem Gebiet im Norden des Kantons wachsen fruchtige Landweine und Spargeln. Hier spürt man nichts von der Hektik der nahen Grossstadt, hier findet man Erholung.

Zürich – Zurich

The city of Zurich, with its world-renowned shopping and business promenade, Bahnhofstrasse, and the nearby international airport, is Switzerland's economic and commercial nerve centre. But this shouldn't overshadow the fact that the countryside between the Lake of Zurich and the Rhine River has just as much to offer. Switzerland's industrial age began in Winterthur and the Zurich Oberland, but progress didn't create an industrial wasteland. Typical of the villages or the Zurich wine-growing region is the traditional architecture with its decorative wall pattern of open red-stained wooden beams and stone filler plastered over in white. It is in this northern part of the canton where the fruity wines are grown and asparagus is harvested. Here, you can leave the hectic life of the metropolis behind and find peace of body and mind.

Zürcher Geschnetzeltes mit Rösti

Geschnetzeltes
600 g Kalbfleisch
200 g Champignons
50 g Butter
1 kleine Zwiebel, fein gehackt
100 ml Weisswein
150 ml Bratensauce
150 ml Rahm
100 ml Rahm, geschlagen
2 Zweige glatte Petersilie, fein gehackt

Rösti
600 g Kartoffeln
80 g Butter
3 EL Pflanzenöl
Salz, Pfeffer aus der Mühle

Für die Rösti die Kartoffeln in der Schale kochen und auskühlen lassen. (Die beste Rösti erhält man aus Kartoffeln, die 2–3 Tage alt sind.)

Das Kalbfleisch in Streifen, die Champignons in Scheiben schneiden.

Eine Bratpfanne erhitzen, 20 g Butter darin schmelzen und das Fleisch auf beiden Seiten kurz anbraten. Aus der Pfanne heben und warm stellen. In derselben Pfanne die Champignons kurz anziehen lassen, dann aus der Pfanne nehmen und zum Fleisch geben. Die Zwiebel mit der restlichen Butter in die Pfanne geben und andünsten. Mit dem Weisswein ablöschen, die Bratensauce und den Rahm beigeben und auf kleinem Feuer zu einer sämigen Sauce einkochen.

Das Fleisch und die Champignons in die Sauce geben, den geschlagenen Rahm unterheben und aufkochen. Die gehackte Petersilie beigeben und mit Salz und Pfeffer aus der Mühle würzen.

Die Kartoffeln schälen und durch die Röstiraffel reiben. Mit Salz und Pfeffer leicht würzen.

Das Öl in einer flachen Teflonpfanne erhitzen und die Kartoffeln darin rundherum gut anbraten. Zu einem runden Fladen zusammenschieben und unter mehrmaliger Zugabe von Butter auf beiden Seiten goldgelb braten.

Typisch für das grossbürgerliche Zürich sind währschafte Gerichte, in denen das Fleisch dominiert, sei es der Ratsherrentopf mit verschiedenen edlen Fleischstücken, Würsten und Gemüsen oder aber das berühmte «Züri Gschnätzlets», das zusammen mit einer goldbraunen Rösti serviert wird.

Zurich-Style Veal Strips with Rösti

Sliced Veal
600 g/1⅓ lb veal
200 g/7 oz mushrooms
50 g/2 oz butter
1 small onion, finely chopped
100 ml/3 fl oz white wine
150 ml/4.5 fl oz gravy
150 ml/4.5 fl oz cream
100 ml/3 fl oz cream, whipped
2 sprigs parsely, finely chopped

Rösti (Pan-Fried Potatoes)
600 g/1⅓ lb potatoes
80 g/3 oz butter
3 tablespoons vegetable oil
salt, freshly ground pepper

For the rösti, boil the potatoes in their jackets and allow to cool. (For best results, use parboiled potatoes which are 2 to 3 days old.)

Cut the veal into thin strips. Slice the mushrooms.

Heat a frying pan and melt 20 g/1 oz of butter. Brown the meat on all sides in the butter, remove from pan and keep warm. Sauté the mushrooms briefly in the same pan, remove and pour over the meat. Add the onion to the remaining butter and fry gently until soft and transparent. Add the white wine, gravy and cream, and simmer over a gentle heat until the sauce thickens.

Add the meat and mushrooms to the sauce. Stir in the whipped cream and bring to the boil. Sprinkle on the chopped parsley and season with salt and freshly ground pepper.

Peel the potatoes and shred them through a rösti grater. Season lightly with salt and pepper.

Heat the oil in a flat teflon pan and fry the grated potatoes. Press the fried potatoes to a round, flat pancake shape, adding butter often, until a golden-brown on both sides.

Hearty meals are typical for the urban dwellers of Zurich. Here meat is king, whether in a "Councillor's Pot-au-Feu" with a variety of grand slices of meat, sausage and vegetables, or the famous "Züri Gschnätzlets", veal strips served with golden-brown rösti.

Abseits der grossen Verkehrsströme hat sich in diesem Bergkanton der östlichen Schweiz viel traditionelles und echtes Kulturgut und Kunsthandwerk erhalten. Zur römischen Zeit und im Mittelalter führten mehrere wichtige Passstrassen durch dieses Tal – nach Graubünden, Schwyz und Uri. Für den heutigen Verkehr ist nur noch der Klausenpass von Bedeutung, doch für Wanderer sind die alten Pässe attraktive Gebirgsübergänge geblieben.

Die Textilindustrie fand hier im 19. Jahrhundert rasch eine Heimat, weil die Heimarbeit den Bauern einen willkommenen Nebenverdienst ermöglichte. Glarus kennt wie Appenzell und Unterwalden noch die Landsgemeinde für die politische Entscheidungsfindung. Eine besondere kulinarische Spezialität dieses Kantons ist der Schabziger, ein rezenter, mit Kräutern angereicherter Käse, der aufs Brot geschabt wird.

Glarus

This mountain canton in eastern Switzerland is set apart from the major traffic routes. It has preserved many of its cultural assets and traditional handicrafts. In Roman times and the Middle Ages, several important pass roads led through the valley to Graubünden, Schwyz and Uri. Today only the Klausenpass has any importance for traffic. On the other hand, the old pass routes are still popular among walkers.

In the 19th century, the textile industry was eagerly welcomed in the canton because of the extra income it provided the farmers. Politically, the Landsgemeinde or open-air parliament is the decision-making body as in Appenzell and Unterwalden. A culinary specialty of the canton is the cheese known as Schabziger. It is a tangy cheese, flavored with herbs and shaved onto slices of bread.

Chalberwürscht mit Schnitz und Härdöpfel
Kalbswürste mit Kartoffeln und Birnen

600 g Kartoffeln, geschält, in Würfel
geschnitten
200 ml Rahm
60 g Butter
2 Birnen
40 g Zucker
Salz, frisch geriebene Muskatnuss

4 Zwiebeln, fein gehackt
50 g Butter
4 Kalbsbratwürste, vorgekocht
200 ml Rahm
200 ml Fleischbouillon
2 grosse Zwiebeln, in Ringe geschnitten
30 g Mehl
Salz, Pfeffer aus der Mühle
Pflanzenöl zum Braten

Die Kartoffelwürfel in gesalzenem Wasser weich kochen. Das Kochwasser abgiessen und die Kartoffeln pürieren. Den Rahm erwärmen und zusammen mit der Butter unter das Kartoffelpüree rühren.

Die Birnen schälen, halbieren, das Kerngehäuse entfernen und die Birnen in Schnitze schneiden. Den Zucker hellbraun karamelisieren, die Birnenschnitze beigeben und mit 100 ml Wasser ablöschen. Aufkochen und dann vom Herd ziehen. Die karamelisierten Birnenschnitze unter das Kartoffelpüree mischen. Mit Salz und frisch geriebenem Muskat würzen.

Die gehackten Zwiebeln in der Butter andünsten. Die Würste hineinlegen, Rahm und Bouillon dazugiessen. Auf kleinem Feuer die Würste 20 Minuten ziehen lassen. Dann die Sauce mit Salz und Pfeffer abschmecken.

In der Zwischenzeit die Zwiebelringe mit Pfeffer würzen und im Mehl wenden. Im heissen Öl goldgelb ausbacken. Aus dem Öl heben und abtropfen lassen.

Die Würste mit der Zwiebelsauce zum Kartoffelpüree anrichten, mit den gebackenen Zwiebelringen garnieren.

Glarus kennt einige ganz besondere Spezialitäten. Nach einem Braten oder dem rezenten Schabziger als Brotaufstrich kommen köstliche Süssspeisen auf den Tisch; etwa Birnbrot oder Glarner Pastete, ein Gebäck, bestehend aus Dörrzwetschgen und einer herrlichen Füllung aus Mandelmasse.

Glarus Veal Sausages
with Potatoes and Pear Slices

600 g/1⅓ lb potatoes, peeled and cubed
200 ml/6 fl oz cream
60 g/2 oz butter
2 pears
40 g/1½ oz sugar
salt, freshly ground nutmeg

4 onions, finely chopped
50 g/2 oz butter
4 veal sausages, precooked
200 ml/6 fl oz cream
200 ml/6 fl oz meat stock
2 large onions, sliced in rings
30 g/1¼ oz fluor
salt, freshly ground pepper
vegetable oil for roasting

Boil the cubed potatoes in salted water until soft. Pour off the water and purée. Heat the cream and add it with the butter to the potato purée.

Peel, halve and core the pears, and cut the halves into slices. Caramelize the sugar until it is a golden brown. Sauté the pear slices and add 100 ml/3 fl oz of water. Bring to the boil and remove from the heat. Add the caramalized pear slices to the mashed potatoes. Season with salt and freshly ground nutmeg.

Sauté the chopped onions in the butter. Add the sausages, cream and stock. Simmer over a low heat for 20 minutes. Season with salt and pepper.

Meanwhile, season the onion rings with pepper and dip in flour. Fry in hot oil until golden-brown. Remove from the oil and drain.

Serve the sausages and onion sauce with the mashed potatoes. Garnish with the fried onion rings.

Glarus boasts of some very original specialties. After a roast or a slice of bread, spread with a portion of tangy Schabziger cheese, delicious sweets appear on the table: perhaps some "Birnbrot", pear cake, or a Glarus vol-au-vent, made of prunes and a delightful almond paste filling.

Auf Zuger Gebiet wurde die Freiheit der alten Eidgenossenschaft erkämpft. Bei Morgarten am lieblichen Ägerisee wurden die österreichischen Ritter in die Flucht geschlagen. Heute ist das Gebiet des Ägerisees ein beliebtes Naherholungs- und Kurgebiet. Die Kleinstadt Zug nutzte ihre Lage zwischen Zürich und der Innerschweiz immer resolut aus. Früher vermittelte sie zwischen den nach Vorherrschaft strebenden Regionen, heute profitiert sie von der Verkehrslage wie von den vielen Firmen, die sich hier niederlassen. Der Zugersee trägt wesentlich zum milden Klima der an seinen Ufern gelegenen Dörfer bei. In der Zuger Hügellandschaft wird viel Obstbau betrieben. Weltberühmt dürfte die Zuger Kirschtorte sein, die dann am besten ist, wenn der Biskuitteig vom hochprozentigen Kirschwasser so richtig durchtränkt ist.

Zug

The territory of Zug was the scene of a major battle between the old Confederation and the Austrian empire. It was at Morgarten by the delightful Aegerisee that the Austrians were defeated. Today, the area is devoted to rest and recreation. Zug itself is a small city which has made the most of its situation between Zurich and central Switzerland. In earlier times, it intervened between regions vying for predominance. Today, it profits from its accessibility by road and rail and from the many firms who established themselves here. The Lake of Zug guarantees a mild climate to the towns and villages around it. In the hills behind, fruit-growing is the main activity. One of the more well-known specialities is Zug cherry cake, which is at its best when well drenched in cherry schnaps.

Forellen nach Zuger Art

8 Kartoffeln, geschält, geviertelt
4 Forellen, ausgenommen, ausgespült
je 4 Zweige Dill, Kerbel, glatte Petersilie
2 Schalotten, fein gehackt
20 g Butter
100 ml Weisswein
200 ml Rahm
100 ml Crème double (Doppelrahm)
1 Zweig Estragon, 3 Zweige Dill, 1 Zweig
Thymian, 2 Zweige Kerbel, 2 Zweige glatte
Petersilie, alle Kräuter fein gehackt
etwas Zitronensaft
100 ml Rahm, geschlagen
Salz, Pfeffer aus der Mühle

20 g Butter
2 Zweige Kerbel, gehackt
Salz

Die Kartoffeln in gesalzenem Wasser weich kochen.

Die Forellen innen salzen und mit je einem Zweig Dill, Kerbel und glatter Petersilie füllen. Die Schalotten in der Butter glasig dünsten, die Forellen hineinlegen, den Weisswein, den Rahm und die Crème double dazugiessen. Aufkochen, die Pfanne zudecken und vom Feuer ziehen. Die Forellen 10–15 Minuten gar ziehen lassen.

Die Forellen vorsichtig aus der Pfanne auf ein Küchenbrett heben, die Haut von der Oberseite abziehen. Die Forellen warm stellen.

Die Kräuter in den Sud geben und diesen zu einer sämigen Sauce einkochen. Mit Salz, Pfeffer und etwas Zitronensaft abschmecken. Den geschlagenen Rahm unter die Sauce ziehen und nochmals kurz aufkochen.

Für die Kartoffeln die Butter schmelzen, den Kerbel beifügen. Die gegarten Kartoffeln darin wenden und mit Salz würzen.

Die Forellen mit dem heissen Kräuterschaum überziehen und die Kerbel-Kartoffeln dazulegen.

Ein am See gelegener Kanton hat natürlich Fischspezialitäten anzubieten. Vor allem der Rötel, eine Saiblingart, gilt hier als Fisch für ganz exklusive Gerichte. In den Hügelgebieten stehen auf dem Mittagstisch eher alte, einfache Speisen wie die «Chabisbünteli» (Kohlrollen) – doch auch sie schmecken ausgezeichnet.

Zug-Style Trout

8 potatoes, peeled and quartered
4 whole trouts, cleaned and rinsed
4 sprigs each of dill, chervil, parsley
2 shallots, finely chopped
20 g/1 oz butter
100 ml/3 fl oz white wine
200 ml/6 fl oz cream
100 ml/3 fl oz double cream
1 sprig of tarragon, 3 sprigs of dill, 1 sprig of
thyme, 2 sprigs of chervil, 2 sprigs of parsley,
all herbs finely chopped
some lemon juice
100 ml/3 fl oz cream, whipped
salt, freshly ground pepper

20 g/1 oz butter
2 sprigs of chervil, chopped
salt

Boil the potatoes in the salted water until soft.

Salt the insides of the trout and fill with one sprig each of dill, chervil and parsley. Sauté the shallots in the butter until they are transparent. Add the trout to the pan and pour in the white wine, cream and double cream. Bringt to the boil, cover and remove from heat. Allow the trout to sit for 15–20 minutes.

Carefully lift the trout out of the pan and lay on a cutting board. Remove the skin from the top of the fish. Keep warm.

Add the herbs to the broth and cook until the sauce thickens. Season with salt, pepper and lemon juice. Add the whipped cream and return to the boil.

To prepare the potatoes, melt the butter and add the chervil. Fry the cooked potatoes, turning in the butter, and season with salt.

Cover the trout with the hot sauce and serve with the potatoes.

Any canton located on a lake will naturally have fish specialities to offer. Here redfish, a kind of char, is reserved for exclusive dishes. In the hilly areas of the canton, more traditional and no less tasty dishes make up the midday meal, such as "Chabisbünteli" or cabbage rolls.

Bern, die alte, von Lauben und Patrizierhäusern geprägte Hauptstadt der Schweiz; Eiger, Mönch und Jungfrau als weltbekannte Alpengipfel; Emmentaler als der Schweizer Käse schlechthin – dieser Kanton vereint auf seinem Gebiet Sehenswürdigkeiten und Superlative zuhauf. Es lohnt sich jedoch, die Natur und die Kultur abseits der grossen Verkehrsströme zu geniessen: die blumengeschmückten Bauernhäuser mit ihren fast bis zum Boden reichenden Dächern, die vielen kleinen mittelalterlichen Städtchen an Seen und Flüssen, die unzähligen Landgasthöfe. In diesen wird von der deftigen Berner Platte mit Würsten, Speck und Sauerkraut bis zu Meringues, einer Nachspeise aus gebackenem Eiweiss und Schlagrahm, alles sehr reichlich und liebevoll serviert. Als Getränk empfehlen sich die gehaltvollen Weissweine von den Ufern des Bielersees.

Bern

Bern, the venerable capital of Switzerland, with its stone arcades and patrician houses. Bern, the canton, with the alpine peaks of the Eiger, Mönch and Jungfrau and with the Swiss cheese—Emmental. It is worth getting off the beaten track to enjoy the delights of nature and culture the canton has to offer: flower-covered farm houses with roofs that reach almost to the ground, the many small, mediaeval towns by lakes and rivers, the innumerable country inns where hefty portions of Berner Platte are served: a combination of sausages, bacon and sauerkraut and for dessert a massive meringue—baked eggwhite and whipped cream. And what better drink than a full-bodied white wine from the shores of the Lake of Biel.

Emmentaler Lammvoressen
Lammragout

700 g Lammschulterfleisch, in ca. 30 g
schwere Würfel geschnitten
400 ml Fleischbouillon
200 ml Weisswein
1 Zwiebel, halbiert
1 kleine Karotte, längs halbiert
20 g Butter
20 g Mehl
200 ml Rahm
2 Msp. Safranpulver
Salz, Pfeffer aus der Mühle
100 ml Rahm, geschlagen

Kartoffelstock
400 g Kartoffeln, geschält, geviertelt
200 ml Milch
100 ml Rahm
40 g Butter
Salz, frisch geriebene Muskatnuss

Das Lammfleisch in einen grossen, weiten Topf geben. Die Bouillon und den Weisswein dazugiessen und auf den Siedepunkt bringen. Den entstehenden Schaum abschöpfen.

Zwiebel und Karotte in den Sud geben. Das Fleisch auf kleinem Feuer, knapp unter dem Siedepunkt, 2–2½ Stunden leise köcheln lassen.

Für den Kartoffelstock die Kartoffeln in gesalzenem Wasser weich kochen. Das Kochwasser abgiessen und die Kartoffeln heiss pürieren. Die Milch und den Rahm zusammen erwärmen und unter das Kartoffelpüree rühren. Die Butter in Würfeln beigeben und den Kartoffelbrei kräftig durchrühren, bis er glatt und glänzend ist. Mit Salz und frisch geriebenem Muskat würzen.

Das gegarte Fleisch aus dem Sud heben und zur Seite stellen. Den Sud durch ein Sieb passieren. In einer Pfanne die Butter schmelzen, das Mehl beigeben und glattrühren. Den Sud und den Rahm dazugiessen und den Safran hineinrühren. Auf kleinem Feuer zu einer sämigen Sauce einkochen. Das Fleisch wieder in die Sauce geben und mit Salz und Pfeffer würzen. Zusammen mit dem Kartoffelstock, mit glatter Petersilie garniert, servieren.

Die stadtbernischen Patrizier hoben sich vom einfachen Volk durch den Gebrauch der französischen Sprache und den Genuss der französischen Küche ab. Die ländliche Berner Küche aber ist geprägt von der bäuerlichen Tradition: Rösti, Würste, üppige Fleisch- und Käsegerichte dominieren hier.

Emmental Lamb Stew

700 g/1½ lb shoulder of lamb, cut into large
30 g/1 oz cubes
400 ml/12 fl oz meat stock
200 ml/6 fl oz white wine
1 onion, halved
1 small carrot, halved lengthwise
20 g/1 oz butter
20 g/1 oz flour
200 ml/6 fl oz cream
2 pinches powered saffran
salt, freshly ground pepper
100 ml/3 fl oz cream, whipped

Mashed Potatoes
400 g/1 lb potatoes, peeled and quartered
200 ml/6 fl oz milk
100 ml/3 fl oz cream
40 g/1½ oz butter
salt, freshly ground nutmeg

Place the lamb in a large, wide pot. Add the stock and white wine and bring to a boil. Spoon off the foam as it forms.

Add the onion and carrot to the broth and simmer very gently over a low heat for 2–2½ hours. Keep just below the boiling point.

Boil the potatoes in the salted water until they are soft. Pour off the water and purée the potatoes while they are still hot. Heat the milk with the cream and stir into the potato purée. Add flakes of butter and blend the mashed potatoes vigorously until smooth. Season with salt and freshly ground nutmeg.

When the meat is tender, remove it from the stock and put it aside. Pass the stock through a sieve. Melt the remaining butter in a pan. Add the flour and stir until smooth. Pour in the broth and cream and stir in the saffran. Simmer gently over a low heat until the sauce thickens. Lower the meat back into the broth and season with salt and pepper. Garnish with parsley and serve with the mashed potatoes.

The Patricians of the city of Bern raised themselves above the simple folk by speaking French and enjoying French cuisine. Nonetheless, rustic tradition has influenced rural Bernese cooking, where rösti, sausages, hearty meat and cheese dishes are the rule.

Der Kanton Freiburg ist zweisprachig und übt deshalb eine wichtige Brückenfunktion zwischen Deutsch und Welsch aus. Der Bischofssitz Freiburg wurde wie Bern von den Zähringern im 12. Jahrhundert an einer Flussschleife gegründet. Das Wahrzeichen der Stadt ist die Kathedrale mit ihrem unvollendeten Turm. Südlich der Hauptstadt steigt die Landschaft bis zu den Voralpen sanft an. Hier thront Greyerz, das alte Städtchen, auf einem Felsen. Aus dieser Landschaft mit ihren fein gezeichneten schwarz-weissen Kühen stammt auch einer der weltbekannten Käse, eben der Greyerzer oder Gruyère. Die Spezialität dieser Gegend ist – wie könnte es anders sein – Käse-Fondue, je zur Hälfte aus Greyerzer und Freiburger Vacherin hergestellt. Gefolgt von Kaffee mit dickem Rahm und einem Pommes (Apfelschnaps) ist der Genuss vollkommen.

Freiburg – Fribourg

Canton Fribourg is bilingual and makes an important contribution to the unity of Switzerland by acting as a bridge between the German- and French-speaking regions. The city was founded as an episcopal see in the 12th century by the Zähringers, who also built Bern. And like Bern, Fribourg was built at a bend in a river. The landmark of the city is the cathedral with its uncompleted tower. South of the city, the country climbs gently into the alpine foothills. Here the old city of Gruyère, the home of the well-known cheese of the same name, perches on its craggy hill. This is dairy country with herds of distinctive black and white cows grazing in the fields. What more typical food specialty could there be but cheese fondue: half Gruyère and half Fribourg Vacherin, followed by coffee with thick cream and an apple schnaps.

Freiburger Käsefondue

1 Knoblauchzehe, gepresst
400 ml Schweizer Weisswein (trocken)
300 g Freiburger Vacherin, gerieben
200 g Emmentaler, gerieben
300 g Greyerzer, gerieben

2 TL Stärkemehl
3 EL Kirschwasser
Pfeffer aus der Mühle,
frisch geriebene Muskatnuss

800 g Weissbrot,
in mundgrosse Würfel geschnitten

Das Fondue-Caquelon mit der gepressten Knoblauchzehe ausreiben und den Weisswein darin auf der Herdplatte erwärmen. Den geriebenen Käse darin schmelzen und bei mässiger Hitze bis knapp vor den Siedepunkt bringen.

Das Stärkemehl mit dem Kirschwasser glattrühren und in das Fondue rühren. Mit Pfeffer aus der Mühle und frisch geriebenem Muskat würzen. Von der Herdplatte auf den Spirituskocher stellen.

Käsespezialitäten sind in diesem von der Viehwirtschaft dominierten Kanton klar Trumpf. Doch wie in jeder bäuerlichen Gegend gibt es auch hier traditionelle Wurstspezialitäten und spezielle, oft mit Milch oder Rahm verfeinerte Gebäcke.

Fribourg Cheese Fondue

1 clove of garlic, crushed
400 ml/12 fl oz Swiss white wine (dry)
300 g/11 oz Fribourg vacherin cheese,
grated
200 g/7 oz Emmental cheese, grated
300 g/11 oz Gruyère cheese, grated

2 teaspoons potato flour
3 tablespoons kirsch schnaps
freshly ground pepper and nutmeg

800 g/2 lbs white bread,
cut into bite-sized cubes

Rub the inside of a heat-proof casserole with the crushed garlic clove. Add the white wine and warm on the top of the stove. Add the grated cheese and bring to just under the boiling point over a medium heat.

Add the kirsch to the potato flour, stirring until smooth. Add to the fondue mixture. Season with freshly ground pepper and nutmeg. Remove from the stove and set on an alcohol burner at the table.

Cheese is trump in this canton, where dairy farming is so important. As in any agricultural area, specialties here include traditional sausage dishes and pastries prepared with milk or cream.

Der Kanton Solothurn reicht vom mittelländischen Aaretal mit kleinen Städtchen, Dörfern, Landwirtschaft und Industriegebieten über die Juraketten bis zur französischen Grenze. Er ist weniger eine geografische Einheit als ein aus der Geschichte zusammengewachsenes Gefüge. Im geschützten Ufergebiet der Aareschlaufen nisten Störche und andere seltene Vogelarten. Im Norden erstreckt sich das Kantonsgebiet bis fast an den Rhein. Dort dominieren wie im benachbarten Baselland Obstbaumkulturen die Landwirtschaft. Zentrum des Kantons ist Solothurn mit seiner barocken Kathedrale, die zugleich Bischofssitz des Bistums Basel ist. «Ambassadorenstadt» wird Solothurn genannt, weil früher der französische Botschafter hier residierte. Dies ist wohl der Grund, warum sich die hiesige Küche an der französischen Tradition orientiert.

Solothurn

Canton Solothurn stretches from the Aare River valley in the Swiss midlands over the Jura range to the French border. With its small towns, villages, agricultural and industrial regions, it is less a geographical unity than a structure of disparate parts which grew together over the years. Here storks and other rare bird species nest in nature protection areas along the banks of the Aare River. The northern boundary of the canton reaches almost to the Rhine River and, as in neighboring Basel Country, the main agricultural crop is fruit. The capital of the canton is the city of Solothurn with its baroque cathedral. It is also the episcopal see of the Bishopric of Basel. The city is also known as the "Ambassador's City" because the French ambassador made his residence here. This probably accounts for Solothurn's French cooking tradition.

Solothurner Leberspiesse mit Bohnen

200 g gedörrte Bohnen
1 Zwiebel, fein gehackt
100 g Speck, in Streifen geschnitten
20 g Butter
1 TL Bohnenkraut
1 Knoblauchzehe, gepresst
1 TL Mehl
200 ml Fleischbouillon

500 g Kalbsleber, in lange, dünne Tranchen geschnitten
16 Blätter frischer Salbei
16 Specktranchen
3 EL Pflanzenöl
30 g Butter
Salz, Pfeffer aus der Mühle

Die Bohnen über Nacht in kaltem Wasser einweichen. Das Wasser abgiessen und die Bohnen in leicht gesalzenem Wasser 25 Minuten kochen.

Die Zwiebel und den Speck in der Butter andünsten, die Bohnen, das Bohnenkraut und den Knoblauch beigeben, das Mehl darüberstäuben und die Bouillon dazugiessen. Auf kleinem Feuer weitere 25–30 Minuten köcheln lassen. Mit Salz und Pfeffer aus der Mühle würzen.

Die Kalbslebertranchen jeweils mit einem Salbeiblatt belegen und einrollen. Die Specktranchen einzeln aufrollen. Je 4 Kalbsleber- und 4 Speckröllchen abwechslungsweise auf Holzspiesse stecken. In der heissen Öl-Butter-Mischung braten und mit Salz und Pfeffer würzen.

Die Spiesschen auf den Bohnen anrichten. Dazu passen gekochte Kartoffeln.

Gerichte mit Innereien gehören zu den Spezialitäten der französischen Küche und deshalb auch zur Küche Solothurns. Oft findet man Rezepte wie dieses, das den französischen Einfluss mit typischen Schweizer Zutaten wie zum Beispiel Dörrbohnen ergänzt.

Solothurn Skewered Calf's Liver with Beans

200 g/7 oz dried green beans
1 onion, finely chopped
100 g/4 oz bacon, sliced
20 g/1 oz butter
1 teaspoon savory
1 clove of garlic, crushed
1 teaspoon flour
200 ml/6 oz meat stock

500 g/1 lb calf's liver, cut in long, thin slices
16 fresh sage leaves
16 bacon slices
3 tablespoons vegetable oil
30 g/1¼ oz butter
salt, freshly ground pepper

Soak the beans in cold water overnight. Pour off the soaking liquid and boil the beans in lightly salted water for 25 minutes.

Sauté the onion and bacon in butter and add the beans, savory and garlic. Sprinkle over the flour and add the stock. Simmer over a gentle heat for 25–30 more minutes. Season with salt and freshly ground pepper.

Place a sage leaf on each slice of calf's liver and roll up. Roll the bacon slices separately. Arrange 4 liver and 4 bacon rolls alternately on a wooden skewer. Fry in the hot oil and butter mixture and season with salt and pepper.

Serve the skewered meat on top of the beans. Boiled potatoes are a delicious accompaniment to this dish.

Offal dishes are a part of French cuisine, and thus, also figure in the cooking of Solothurn. Recipes like this are many, where French influence and typical Swiss ingredients meet and blend. A good example is dried beans.

Basel – das sind zwei Halbkantone, Basel-Stadt und Basel-Landschaft, die sich 1833 aus politischen Gründen getrennt haben. Die Stadt lebt heute vom Rheinhafen und von den grossen Chemiekonzernen, war aber seit dem Hochmittelalter auch eine berühmte Universitätsstadt. Das jährlich wiederkehrende Grossereignis ist die Basler Fasnacht mit Tausenden von Trommlern und Pfeifern. Die Landschaft gibt sich bedächtiger. Landwirtschaft – vor allem mit Kirsch- und anderen Obstkulturen – prägt Natur und Mensch, je weiter man von der Stadt weg, hinauf auf die Höhenzüge des Jura kommt. Die Lage Basels im Dreiländereck drückt sich auch auf dem Küchenzettel aus: Elsässische und badische Gerichte und Weine finden sich neben einheimischen Spezialitäten wie Basler Läckerli und Brunsli oder Fisch- und Obstgerichten.

Basel

Basel consists of two half cantons—Basel City and Basel Country—which separated in 1833 for political reasons. The city's economy today is based on Rhine shipping and the chemical industry. In the late Middle Ages it was also a famous university town. The annual highlight is the carnival or Fasnacht which brings together thousands of drummers and pipers. Basel Country is more restrained. The farther one travels from the city up into the Jura range, the more agriculture leaves its mark on man and nature. Fruit, mainly cherries, is the principle crop. Basel makes up one side of a geographical triangle also consisting of France and Germany. This has influenced the cooking tradition with Alsatian and southern German dishes and wine equally as popular as local specialties such as the sweet Basler Läckerli and Brunsli or fish and fruit.

Basler Lummelibraten
Gespickter Rindsbraten

500 g Rindsfilet vom Mittelstück, gespickt
3 EL Pflanzenöl
30 g Butter

Sauce
1 kleine Zwiebel, fein gehackt
½ Knoblauchzehe, gepresst
20 g Butter
1 Zweig Rosmarin
1 EL Mehl
300 ml Rotwein
200 ml Rahm

1 Schalotte, fein gehackt
20 g Butter
300 g Eierschwämmchen (Pfifferlinge)
6 Blatt Basilikum,
in feine Streifen geschnitten
Salz, Pfeffer aus der Mühle

Das gespickte Rindsfilet mit Salz und Pfeffer würzen und in der heissen Öl-Butter-Mischung auf allen Seiten goldgelb braten. Aus der Pfanne nehmen und 25 Minuten auf einem Gitter in den auf 90 Grad vorgeheizten Ofen stellen.

Für die Sauce die Zwiebel und den Knoblauch in der Butter andünsten, den Rosmarinzweig beigeben und mitbraten. Das Mehl beigeben und gut verrühren. Mit dem Rotwein ablöschen und auf kleinem Feuer auf die Hälfte einkochen. Den Rahm beifügen und zu einer sämigen Sauce einkochen. Mit Salz und Pfeffer abschmecken.

In einer zweiten Pfanne die Schalotten in der Butter andünsten, die geputzten Eierschwämmchen beigeben, gut schwenken und mit dem feingeschnittenen Basilikum und Salz würzen. Eventuell noch etwas Wasser beigeben.

Das Fleisch aus dem Ofen nehmen, in Tranchen schneiden. Mit der Sauce und den Eierschwämmchen anrichten. Als Beilage passen Kartoffelbrei oder Kartoffelknödel.

Die Zutaten zu diesem Rezept verraten die Nähe zum badischen Raum ennet des Rheins: geschmortes Rindfleisch an Zwiebeln und Wein, dazu Knödel. Basels Küche ist wegen seiner Lage wohl die – im positiven Sinn des Wortes – internationalste der Schweiz.

Basel Larded Roast Beef

500 g/1 lb middle-cut fillet of beef, larded
3 tablespoons vegetable oil
30 g/1¼ oz butter

Gravy
1 small onion, finely chopped
½ garlic clove, crushed
20 g/1 oz butter
1 sprig of rosemary
1 tablespoon flour
300 ml/9 fl oz red wine
200 ml/6 fl oz cream

1 shallot, finely chopped
20 g/1 oz butter
300 g/11 oz chanterelle mushrooms
6 basil leaves, cut in fine strips
salt, freshly ground pepper

Season the larded beef fillet with salt and pepper and turn on all sides in the hot butter-oil mixture until golden-brown. Remove from the frying pan and lay on a rack in a preheated oven. Roast for 25 minutes at 90 °C/200 °F/Mark 1.

To prepare the gravy, sauté the onions and garlic in the butter. Add the rosemary sprig and continue to fry. Sprinkle the flour over and mix well. Add the red wine and cook over a gentle heat until the liquid is reduced by half. Add the cream and simmer until the gravy is smooth. Season with salt and pepper.

Sauté the shallots in a second frying pan. Add the cleaned mushrooms, toss well in the butter and season with the finely sliced basil and salt. Add a little water if necessary.

Remove the meat from the oven and slice. Pour over the gravy and the mushrooms. Mashed potatoes or potato dumplings make a fine accompaniment for this dish.

The ingredients of this recipe make no secret of the proximity of Baden across the Rhine: pot-roasted beef with onions, wine and dumplings. Thanks to its location, Basel's cuisine has become the most international in Switzerland—in the most positive sense of the word.

Der Kanton Schaffhausen hat eine etwas ungewöhnliche Lage: Als einziger Kanton liegt er nördlich des Rheins und ragt tief in deutsches Gebiet hinein. Wahrzeichen der Stadt Schaffhausen ist die mächtige Festungsanlage, der Munot. Beliebt ist eine Schiffahrt flussaufwärts zum pittoresken Städtchen Stein am Rhein; die vielen bemalten Hausfassaden erzählen dem interessierten Betrachter wichtige Szenen aus der Geschichte. Die wohl berühmteste Sehenswürdigkeit aber ist der Rheinfall, die grösste Stromschnelle Europas, mit seinen tosenden Wassern und weithin sichtbaren Gischtschwaden. Die sanfte Hügellandschaft des Kantons ist weitgehend von Kornfeldern und Weinbau geprägt. Besonders um Hallau findet sich eine vorzügliche Lage für einen sehr fruchtigen Rotwein, den Hallauer.

Schaffhausen

Canton Schaffhausen finds itself in a somewhat unusual situation. It's the only canton north of the Rhine River and juts deeply into German territory. The landmark of Schaffhausen is the mighty fortress, the Munot. A favorite outing is a boat trip up the Rhine to the picturesque town of Stein am Rhein. The walls of the buildings are literally an open book portraying in colorful scenes on the façades important historical episodes. But by far the most famous attraction is the Rhine Falls, the largest in Europe with its thundering water and wreaths of mist which can be seen and heard for miles around. The gently rolling landscape is devoted extensively to grain and grapes. Hallau is an area particularly suited to wine growing and is known for its fruity, well-rounded red wine, Hallauer.

Schaffhauser Bölledünne
Zwiebelkuchen

Geriebener Teig
130 g Mehl
80 g Butter, flüssig
3 Prisen Salz
5 EL Wasser

Füllung
4 grosse Zwiebeln, in Streifen geschnitten
40 g Butter
400 ml Rahm
2 Eier, verquirlt
1 Eigelb
40 g Greyerzer, gerieben
1 EL Maisstärke
2 EL Rahm
Salz, Pfeffer aus der Mühle

Butter und Mehl für die Form

Für den Teig das Mehl in eine Schüssel sieben. Die Butter, das Salz und das Wasser zum Mehl geben. Rasch zu einem glatten Teig verarbeiten. In Folie einpacken und für mindestens 30 Minuten in den Kühlschrank stellen.

Für die Füllung die Zwiebelstreifen in der Butter andünsten. Den Rahm dazugiessen und aufkochen. Alles in eine Schüssel geben und auskühlen lassen. Die Eier und den geriebenen Käse beigeben. Mit Salz und Pfeffer würzen. Die Maisstärke mit den 2 EL Rahm glattrühren und dazumischen.

Eine Kuchenform von 26 cm Durchmesser ausbuttern und mit Mehl bestäuben. Den geriebenen Teig 2 mm dünn auswallen und in die Form legen. Den Rand gut andrücken und den Teigboden mit der Gabel einstechen. Die Füllung in die Form giessen und den Zwiebelkuchen im auf 180 Grad vorgeheizten Ofen 30–40 Minuten goldgelb backen.

Die Lage am Rhein beschert dem Kanton Schaffhausen eine grosse Zahl von Fischen und herrlichen Fischgerichten, zum Beispiel mit Hecht oder Äschen. Zwiebelgerichte wie der «Bölledünne» gehören in der Schweiz in vielen Gegenden zur Alltagskost – kaum aber werden sie so schmackhaft zubereitet wie hier.

Schaffhausen Onion Pie

Pastry
130 g/4½ oz flour
80 g/3 oz butter, melted
3 pinches of salt
5 tablespoons water

Filling
4 large onions, cut in strips
40 g/1½ oz butter
400 ml/12 fl oz cream
2 eggs, beaten with a whisk
1 egg yolk
40 g/1½ oz Gruyère cheese, grated
1 tablespoon cornflour
2 tablespoon cream
salt, freshly ground pepper

butter and flour for the pie pan

To prepare the pastry, sift the flour into a bowl. Add the butter, salt and water and work quickly into a smooth dough. Wrap in foil and allow to rest in the refrigerator for at least 30 minutes.

To prepare the filling, sauté the onion strips in the butter. Add the cream and bring to a boil. Transfer all the ingredients into a bowl and allow to cool. Add the eggs and the grated cheese and season with salt and pepper. Mix 2 tablespoons of cream with the cornflour and stir to a smooth paste. Add to the filling.

Butter a pie tin 26 cm/10 inches in diameter and sprinkle with flour. Roll out the pastry to a thickness of about 2 mm/⅛ inch and lay in the tin. Press well around the edges and pierce the bottom several times with a fork. Pour the filling onto the pastry and bake in a preheated oven at 180 °C/350 °F/Mark 4 for 30–40 minutes until golden-brown.

With its location on the Rhine, canton Schaffhausen is blessed with a great number of fish, such as pike and grayling, and a wealth of mouth-watering fish dishes. Onion dishes such as «Bölledünne» can be found in many other parts of Switzerland, but it is unlikely that they are as tasty as in Schaffhausen.

Das Appenzellerland ist ganz vom Kanton St. Gallen umschlossen und hat sich 1597 in zwei Halbkantone aufgespalten. Es heisst, die Appenzeller seien kleine Leute; meist stimmt das nicht, und wenn, dann machen sie es längst mit ihrem legendären Witz wett. Klein sind aber die charakteristischen Bauernhäuser. Dies ist wohl typisch für ein voralpines Gebiet, das traditionell von Milchwirtschaft und Heimarbeit lebt. Trotz der geringen Fläche bieten die zwei Halbkantone dem Besucher viel. Das schmucke Appenzell lebt besonders am Mittwoch auf, wenn für die Bauern Markttag ist. In den Kurorten können sich Stressgeplagte auf ideale Weise erholen. Ein Wanderparadies ist das Alpsteingebirge. Wichtigster Tag im Jahr ist der letzte Aprilsonntag, wenn sich die Appenzeller mit dem Degen als Stimmausweis zur Landsgemeinde treffen.

Appenzell

The region of Appenzell is surrounded by Canton St. Gallen. Appenzell split into two half cantons in 1597. It is said that the people of Appenzell are small-statured people. For the most part this is not true, but nevertheless they make up for it with their legendary wit. What are small are the farm houses. They are typical for a pre-alpine region, whose people live from dairy farming and handicrafts. In spite of the small area, the two half cantons offer much to the visitor. The neat town of Appenzell is especially lively on Wednesdays, which is market day for the farmers. In the resorts, there is ample opportunity to slip out of the tensions of stress-plagued lifestyles into more comfortable routines. The Alpstein range is a walker's paradise. The big day on the Appenzell calendar is the last Sunday in April when voters gather for the annual Landsgemeinde or open-air parliament.

Chäshörnli und Ghackets
Teigwaren mit Rinderhack

Hackfleisch

2 Zwiebeln, fein gehackt
30 g Butter
600 g Rinderhackfleisch
2 EL Tomatenpüree
200 ml Rotwein
200 ml Bratensauce
1 Lorbeerblatt
1 Zweig Rosmarin

Teigwaren

300 g Hörnli (kleine Hohlnudeln)
1 grosse Zwiebel, fein gehackt
20 g Butter
100 ml Rahm
60 g Butter
120 g Appenzeller oder rezenter Bergkäse,
gerieben
Salz, Pfeffer aus der Mühle

Die Zwiebeln in der Butter andünsten, das Hackfleisch beigeben und mitdünsten. Das Tomatenpüree hineinrühren. Mit dem Rotwein ablöschen und auf die Hälfte einköcheln lassen. Die Bratensauce, das Lorbeerblatt und den Rosmarinzweig beigeben und zu einer dickflüssigen Sauce einkochen. Rosmarinzweig und Lorbeerblatt aus der Sauce nehmen. Das Hackfleisch mit Salz und Pfeffer aus der Mühle würzen.

Für die Chäshörnli die Teigwaren im gesalzenen Wasser al dente kochen, dann abgiessen. Die Zwiebeln in der Butter goldbraun dünsten, die Teigwaren und den Rahm beigeben. Nochmals erhitzen und mit Salz und Pfeffer abschmecken.

Die Butter aufschäumen lassen. Die Teigwaren mit dem geriebenen Käse bestreuen und die schaumigheisse Butter darüberträufeln. Zusammen mit dem gehackten Rindfleisch anrichten. Nach Belieben Apfelmus dazu reichen.

Als geografisch abgegrenzte Region bewahrte der Kanton Appenzell die Küchentraditionen der Sennen und Kleinbauern. Der Appenzellerkäse ist wohl der würzigste Schweizer Käse. Entsprechend geschmackvoll sind denn auch die mit ihm zubereiteten Gerichte.

Pasta with Minced Beef

Minced Beef
600 g/1⅓ lb minced beef
2 onions, finely chopped
30 g/1¼ oz butter
2 tablespoons tomato purée
200 ml/6 fl oz red wine
200 ml/6 fl oz gravy
1 bay leaf
1 sprig of rosemary

Pasta
300 g/11 oz "Hörnli"
(small maccaroni noodles)
1 large onion, finely chopped
20 g/1 oz butter
100 ml/3 fl oz cream
60 g/2¼ oz butter
120 g/4¼ oz Appenzeller or strong
mountain cheese, grated
salt, freshly ground pepper

Sauté the onions in the butter. Add the minced beef and cook gently. Stir in the tomato purée and add the red wine. Allow to simmer until the liquid has reduced by half. Add the gravy, bay leaf and rosemary and simmer until the sauce thickens. Remove the rosemary and bay leaf and season the meat with salt and freshly ground pepper.

Boil the noodles in salted water until they are just tender (al dente) and drain. Sauté the chopped onion in the butter until golden-brown. Add the noodles and the cream. Reheat and season with salt and pepper.

Heat the butter until it foams. Sprinkle the noodles with the grated cheese and add the hot, foamy butter. Serve with the ground beef and if desired, apple sauce on the side.

The canton of Appenzell is set off geographically from the rest of Switzerland and, as such, has preserved a cooking tradition typical of its alpine dairy farmers. The cheese from this area is no doubt Switzerland's tangiest. No less tasty are the dishes prepared from this cheese.

Im Mittelalter war das Kloster St. Gallen eines der grossen Kulturzentren Europas. In der barocken Pracht der Stiftsbibliothek können die Handschriften der Mönche bewundert werden. Später wurden die hier gefertigten Stickereien weltberühmt. Der Kanton umfasst ganz verschiedene Regionen: das leicht hügelige, von kleinen Städtchen geprägte Fürstenland und die sanfte Bodenseelandschaft, die fruchtbaren Täler von Rhein und Linth und die Voralpen. Vor allem bei Wanderern beliebt sind das Toggenburg mit der charakteristischen Kulisse der Churfirsten und das Oberland. Die Stadt Rapperswil schliesslich liegt am Zürichsee, viele Hügelzüge von der Hauptstadt entfernt. Eine kulinarische Spezialität St. Gallens sind die Bratwürste, die sich während der jährlichen Herbstausstellung grosser Beliebtheit erfreuen.

St. Gallen

In the Middle Ages, the monastery of St. Gallen was one of the great cultural centres of Europe. Amid the baroque splendor of the library one can marvel at the handwritten texts of the monks. In later years, the textile embroidery industry made a name for itself around the world. The canton includes a wide variety of regions: rolling countryside with small towns, the flatter landscape bordering the Lake of Constance, the rich valleys of the Rhine and the Linth and the alpine foothills. Walkers particularly like the Toggenburg area. The city of Rapperswil is another attraction. It is on the Lake of Zurich, several ranges of hills away from St. Gallen. A culinary speciality is the Bratwurst, which is particularly favored at the annual fall fair.

St. Galler Sammetsuppe

40 g weiche Butter
3 Eier, verquirlt
100 ml Rahm
100 ml Milch
3 EL Mehl
500 ml Fleischbouillon
2 Zweige glatte Petersilie, gehackt
Salz, Pfeffer aus der Mühle

Die Butter mit den Eiern verquirlen. Rahm, Milch und Mehl beigeben und gut verrühren.

Die Fleischbouillon aufkochen und die Eimasse unter Rühren in die Bouillon einlaufen lassen. Erneut zum Kochen bringen. Mit Salz, Pfeffer und der gehackten Petersilie würzen. Mit einem feinen Ruchbrot geniessen.

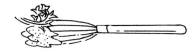

St. Gallen ist bekannt für seine Wurstspezialitäten. Die feine Kalbsbratwurst vom Grill oder der eher bodenständige Schübling dürfen an keinem Fest fehlen, und keiner schert sich darum, die Würste zusammen mit einem Stück Brot und etwas Senf von Hand zu essen.

St. Gall Velvet Soup

40 g/1½ oz soft butter
3 eggs, beaten with a whisk
100 ml/3 fl oz cream
100 ml/3 fl oz milk
3 tablespoons flour
500 ml/15 fl oz meat stock
2 sprigs of parsley, chopped
salt, freshly ground pepper

Using a whisk, beat the butter with the eggs and add the cream, milk and flour. Stir well.

Bring the meat stock to a boil. Stirring constantly, add the beaten egg mixture gradually to the stock. Return to the boil and season with salt, pepper and the chopped parsley. Enjoy with robust dark bread.

St. Gall is well-known for its sausage specialties. A tasty veal sausage done on the grill, or a hearty "Schubling": no festival is complete without these. And nobody thinks twice about eating them by hand, with a slice of bread and a dollop of mustard.

Graubünden liegt mitten in den Alpen. Drei europäische Ströme erhalten Wasser aus diesem Kanton: der Rhein, die Donau und der Po. Schneebedeckte Berge, saftige Alpwiesen und tiefeingeschnittene Täler und Schluchten dominieren die Landschaft. Obwohl die gebirgige Natur dem Kanton eine scheinbare Einheit verleiht, sind die einzelnen Talschaften und Bewohner doch voneinander sehr verschieden. Jedes Tal hat seine eigene Folklore. Drei Sprachen – Deutsch, Italienisch und Rätoromanisch – werden hier gesprochen, und auch diese in vielen lokalen Dialekten. Graubünden mit dem Bischofssitz Chur als Hauptstadt war von alters her ein Durchgangsgebiet zwischen Nord und Süd. Die Reisenden haben aber auch die Bündner Naturschönheiten und Dörfer schätzengelernt; sie finden hier Gastfreundschaft, eine gehaltvolle, einfache Küche und leichte einheimische Weine.

Graubünden

Graubünden lies in the middle of the Alps. Three European rivers are fed with water from this canton: the Rhine, the Danube and the Po. Snow-covered mountains, soft alpine meadows and deep valleys and gorges dominate the landscape. Although the mountainous nature of the canton creates an apparent unity, the individual valley communities and inhabitants are quite distinct. Each valley has its own folklore. There are three languages—German, Italian and Rätoromansch—and these in turn have their own local dialects. The capital of Graubünden is Chur, which is also an episcopal see. From the earliest times, Graubünden was a crossroads for travellers on a north-south route. Over the years, travellers have learned to appreciate the natural beauties of the canton, its hospitality and its simple but substantial cooking and light local wines.

Bündner Gerstensuppe

1 kleine Zwiebel, fein gehackt
1 kleine Karotte, in Würfelchen geschnitten
½ Lauchstengel, in Würfelchen geschnitten
40 g Knollensellerie, in Würfelchen
geschnitten
40 g Butter
50 g geräucherter Speck, in Streifen
geschnitten
100 g Bündnerfleisch am Stück, in kleine
Würfelchen geschnitten
50 g Rollgerste
1,2 l Fleischbouillon
200 ml Rahm
30 g Rollgerste
Salz, Pfeffer aus der Mühle

100 ml Rahm, geschlagen
4 Zweige Majoran

Das kleingeschnittene Gemüse in der Butter andünsten, den Speck, das Bündnerfleisch und die Gerste beigeben und mitdünsten. Die Fleischbouillon dazugiessen, aufkochen und auf kleinem Feuer 1 Stunde köcheln lassen. Die Suppe im Mixer pürieren und durch ein Sieb passieren. Den Rahm dazugeben und aufkochen.

Die 30 g Gerste in gesalzenem Wasser bissfest kochen und in die Suppe geben. Mit Salz und Pfeffer abschmecken. Die heisse Suppe anrichten und mit je einem Esslöffel geschlagenem Rahm und einem Zweiglein Majoran garnieren.

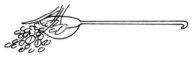

Zum oft beschwerlichen Alltag der Bergler gehören nahrhafte und einfache Speisen – die Gerstensuppe ist dafür ein schmackhaftes Beispiel. Die bekanntesten Spezialitäten sind aber das luftgetrocknete Bündnerfleisch und der Rohschinken sowie die unvergleichliche Engadiner Nusstorte.

Graubünden Barley Soup

1 small onion, finely chopped
1 small carrot, diced
½ leek, diced
40 g/1½ oz celery root, diced
40 g/1½ oz butter
50 g/2 oz bacon, cut in strips
100 g/4 oz air-cured beef (Bündnerfleisch), diced
50 g/2 oz pot-barley
1.2 l/1¼ qts meat stock
200 ml/6 fl oz cream
30 g/1¼ oz pot-barley
salt, freshly ground pepper

100 ml/3 fl oz cream, whipped
4 sprigs of marjoram

Sauté the diced vegetables in the butter. Add the bacon, air-cured meat and barley and cook together. Add the meat stock. Bring to a boil and allow to simmer over a gentle heat for 1 hour. Purée the soup in a mixer and pass through a sieve. Add the cream and return to a boil.

Cook the barley in salted water. When tender but still firm, add to the soup. Season with salt and pepper. Serve the soup, placing a tablespoon of whipped cream and a sprig of marjoram in each bowl.

Simple, hearty meals are a necessary part of the mountain-dweller's strenuous day, and barley soup is no exception. The best known Graubünden specialties are air-dried beef, "Bündnerfleisch", and cured ham, not to mention the exquisite Engadine nut pie.

Der Aargau ist ein Kanton des Wassers. Alle grossen Flüsse nördlich der Alpen – Rhein, Aare, Reuss und Limmat – durchqueren sein Gebiet. An den vielen Flussübergängen entstanden im Mittelalter die heute noch gut erhaltenen Kleinstädte mit Türmen, Toren und oft auch bemalten Bürgerhäusern. Schon die Römer erkannten die strategische Bedeutung dieses Gebiets und errichteten eines ihrer grössten Heerlager in Vindonissa, heute Windisch. Unweit davon liegt die Habsburg, der Familiensitz der grossen Habsburger und das von dieser Familie gestiftete Kloster Königsfelden mit seinen prächtigen Kirchenfenstern. Der Aargau ist ein Industrie- und Landwirtschaftskanton mit ausgedehnten Äckern und Weizenfeldern. Die bekannten Thermalquellen in Zurzach und Baden runden das Bild dieses vom Wasser geprägten Kantons ab.

Aargau

Aargau is the water canton. All the main Swiss rivers north of the Alps flow through its territory: the Rhine, the Aare, the Reuss and the Limmat. At the many river crossings, small cities developed in the Middle Ages. They are still there in good condition with their towers, gates and brightly painted house façades. The Romans quickly recognized the strategic importance of the area and set up their biggest army base at Vindonissa, today known as Windisch. Not far away is the Habsburg, the family seat of the Habsburg family, and the cloister of Königsfelden with its imposing church windows. Aargau is an industrial and agricultural region with extensive amounts of land devoted to grain and other crops. The thermal springs at Zurzach and Baden complete the picture of this canton blessed with water.

Aargauer Rüeblitorte
Karottenkuchen

4 Eigelb
200 g Zucker
½ Zitrone, fein geriebene Schale
250 g Karotten, auf der Bircherraffel
fein gerieben
120 g Mandeln, gemahlen
60 g Haselnüsse, gemahlen
1 TL Zimtpulver
1 Prise Salz
2 EL Speisestärke
½ TL Backpulver
3 Eiweiss
20 g Puderzucker
Butter und Mehl für die Form

Zuckerguss
30 g Puderzucker
3 EL Wasser
1 TL Kirschwasser

Die Eigelbe, den Zucker und die feingeriebene Zitronenscheibe schaumig rühren.

Die fein geriebenen Karotten zusammen mit Mandeln und Haselnüssen, Zimtpulver, Salz, Speisestärke und Backpulver zur Eimasse geben und gut vermengen.

Die Eiweiss steif schlagen, dabei nach und nach den Puderzucker einrieseln lassen.

Eine Springform von 26 cm Durchmesser ausbuttern und mit Mehl ausstäuben. Die Masse in die Form füllen und im auf 180 Grad vorgeheizten Ofen 50–60 Minuten backen. Den Kuchen aus der Form nehmen und auskühlen lassen.

Für den Guss den Puderzucker durch ein Sieb in eine Schüssel sieben. Wasser und Kirschwasser beigeben und glattrühren. Den Guss über den ausgekühlten Kuchen giessen und gleichmässig über die Oberfläche und die Seiten verteilen.

Die Küche des Aargaus lebte stets von den reichhaltigen Erzeugnissen seiner Landwirtschaft. Äpfel, Karotten und Kartoffeln gehörten zu den Grundnahrungsmitteln. «Rüeblitorte» ist eines der ganz bekannten Schweizer Rezepte – heiss geliebt von Kindern wie von Erwachsenen.

Aargau Carrot Cake

4 egg yolks
200 g/7 oz sugar
the grated rind of ½ lemon
250 g/9 oz carrots, finely grated
120 g/4½ oz almonds, ground
60 g/2½ oz hazelnuts, ground
1 teaspoon cinnamon powder
1 pinch of salt
2 tablespoons food starch
½ teaspoon baking powder
3 egg whites
20 g/1 oz icing sugar
butter and flour for the cake tin

Icing
30 g/1¼ oz icing sugar
3 tablespoons water
1 teaspoon kirsch (schnaps)

Beat the egg yolks, sugar and finely grated lemon rind until foamy.

Add the carrots, almonds, hazelnuts, cinnamon powder, salt, starch and baking powder together and mix well.

Beat the egg whites until firm and add the icing sugar gradually, beating constantly.

Butter a 26 cm/10 inch springform and sprinkle with flour. Add the mixture to the form and bake in a preheated oven at 180 °C/350 °F/Mark 4 for 50–60 minutes. Remove the cake from the form and allow to cool.

To prepare the icing, sift the icing sugar into a bowl. Add the water and kirsch and stir until smooth. Pour over the cooled cake and spread evenly over the top and sides.

The cuisine of Aargau has grown and flourished from the rich harvests of its agriculture. Apples, carrots and potatoes count among the canton's staple products. As one of Switzerland's renowned recipes, "carrot cake" is a favorite among children and adults alike.

Eine Landschaft als Obstgarten –
dies ist eine treffliche Beschreibung dieses
Ostschweizer Kantons. Etwas abseits der
grossen Städte, durchzogen von unzähligen
Flüssen und Bächen, ist dieses grüne, leicht
hügelige Gebiet tatsächlich eines der wich-
tigsten Gemüse- und Obstanbaugebiete der
Schweiz. Im Zentrum steht der Apfel, der als
ganze Frucht in den verschiedensten Sorten
oder gepresst als Süssmost oder Apfelwein
den Weg zu den Kunden in der ganzen
Schweiz findet. Am Bodensee und am
Untersee fallen die schmucken und liebevoll
renovierten Dörfer auf. Auf Hügeln thronen
mancherorts Schlösser. Die Nähe zum
süddeutschen Raum ist unverkennbar. Der
Fischfang ist hier eine wichtige Einnahme-
quelle, nicht nur für die Fischer, sondern
auch für die Besitzer der vielen ausgezeich-
neten Fischrestaurants am See.

Thurgau

An orchard paradise: an excellent descrip-
tion for this canton in eastern Switzerland.
Set slightly apart from the big cities, drained
by numerous rivers and streams, this green,
rolling region is in fact one of the most
important fruit and vegetable growing areas
in Switzerland. The apple is the mainstay
crop. From here, a wide variety of apples are
shipped throughout the country either as
whole fruit or as juice or cider. The shores of
the Lake of Constance and the smaller
Untersee are adorned with a necklace of
neat and lovingly-renovated villages. The
hills are crowned occasionally by castles. The
presence of the southern German influence
is unmistakable. Fishing is an important
source of income here, not only for the commercial fisherman, but also for the owners
of the many top-quality fish restaurants by
the lake.

Thurgauer Öpfeltorte

120 g Blätterteig
Butter und Mehl für die Form

Belag
100 g Haselnüsse
60 g Rosinen
1 TL Zimtpulver
5 Äpfel

Guss
100 ml Milch
150 ml Rahm
2 Eier, verquirlt
70 g Zucker
20 g Vanillezucker
1 Prise Salz
1 Msp. Zimt

Eine Form von etwa 26 cm Durchmesser ausbuttern und mit Mehl ausstäuben. Den Teig 2 mm dünn auswallen und die Form damit auslegen. Den Teig gut andrücken und den Boden mit einer Gabel einstechen. Die Haselnüsse mit den Rosinen und dem Zimt vermengen und auf dem Teigboden verteilen.

Die Äpfel schälen, halbieren, das Kerngehäuse entfernen und die Apfelhälften in dünne Schnitze schneiden, ohne sie ganz durchzuschneiden. Die Apfelhälften gleichmässig auf dem Teigboden verteilen.

Für den Guss sämtliche Zutaten kräftig verrühren. Den Guss über die Äpfel geben und den Kuchen im auf 180 Grad vorgeheizten Ofen 30–40 Minuten backen. Aus dem Ofen nehmen und auskühlen lassen.

Der Kuchen kann zum Kaffee oder als leichte Sommermahlzeit zusammen mit einem knackigen Salat gegessen werden.

Was anderes als ein Apfelrezept wäre typisch für den Thurgau? In den Boden dieses Kantons muss Gott den ersten Apfelbaum gesetzt haben! Doch auch einheimischer Käse und natürlich Fische aus Bodensee und Rhein werden in diesem Kanton zu delikaten Gerichten bereitet und serviert.

Thurgau Apple Tart

120 g/4½ oz puff pastry
butter and flour for the pie tin

100 g/4 oz hazelnuts
60 g/2½ oz raisins
1 teaspoon cinnamon powder
5 apples

100 ml/3 fl oz milk
150 ml/4½ fl oz cream
2 eggs, beaten with a whisk
70 g/2½ oz sugar
20 g/1 oz vanilla sugar
1 pinch of salt
1 pinch of cinnamon

Butter a 26 cm/10 inch pie tin and sprinkle with flour. Roll out the dough to a thickness of about 2 mm/⅛ inch and lay in the pie tin. Press the dough down well and pierce several times with a fork. Mix the hazelnuts and raisins with the cinnamon and lay evenly on the bottom of the dough.

Peel, halve and core the apples, and cut the halves into thin slices. Distribute the apple slices evenly on the dough.

Mix all the remaining ingredients vigorously together. Pour over the apples and bake in a preheated oven at 180 °C/350 °F/Mark 4 for 30–40 minutes. Remove from oven and allow to cool.

The tart is delicious with coffee or as a light summer meal accompanied by a crisp salad.

What could be more typical for Thurgau than an apple recipe? God must have planted the first apple tree here! Delicate dishes prepared with local cheese and fish from Lake Constance and the Rhine are also typical of this canton.

Tessin – das ist mehr als nur eine Kantons-
bezeichnung. Da schwingt Lebensgefühl
mit. Und Sehnsucht! Das Tessin gilt als die
Sonnenstube der Schweiz. Es liegt schliesslich auf der Alpensüdseite, und oft, wenn
die Nordseite von Regen, Nebel und Kälte
im Griff gehalten wird, scheint hier die
Sonne. Hier ist es nicht mehr weit nach Italien. Die Sprache, der Baustil der Kirchen
und Häuser, die Bars und Grotti – das sind
typische Tessiner Restaurants – zeugen von
dieser geografischen und kulturellen Nähe.
Die Vegetation ist fast schon mediterran;
Palmen zieren die Seepromenaden von
Lugano, Locarno und Ascona. Das Klima
beeinflusst die Leute wie auch die Küchen-
tradition. Risotto, Mais- und Kastanienge-
richte beherrschen hier die Speisekarte
ebenso wie der Merlot, ein ausgezeichneter
Rotwein, der oft auch zu einem Stück Käse
genossen wird.

Tessin – Ticino

Ticino! It is more than a name of a canton.
It conjures up images pulsing with life and
longing. Ticino is the sundeck of Switzerland. It is on the southern slope of the alps
and often when northern Switzerland is in
the grip of rain, cold and fog, the south is
sunny and warm. It is not far from Italy and
everything – the language, the architecture
and the bars and grotti – typical Ticino restaurants – reflect this geographical and cultural proximity. The vegetation is almost
Mediterranean. Palm trees adorn the
lakeside boulevards of Lugano, Locarno and
Ascona. The climate influences the people
and their cooking. Risotto, corn and
chestnut dishes dominate the menus as
does an excellent red wine, Merlot, which is
often enjoyed with a simple piece of cheese.

Brasato al Merlot
Rindsschmorbraten in Rotwein

1 kg Rindshohrücken
2 EL Pflanzenöl
30 g Butter
½ Lauchstengel, in Würfel geschnitten
2 Karotten, in Würfel geschnitten
1 Zwiebel, fein gehackt
1 EL Tomatenpüree
2 EL Mehl
600 ml Merlot (Rotwein)
20 g Steinpilze (getrocknet), eingeweicht,
abgegossen
400 ml Fleischbouillon
1 Zweig Rosmarin
1 Zweig Thymian
40 g Butter, kalt

Kräuterrisotto
20 g Butter
1 Zwiebel, fein gehackt
120 g Reis, unglasiert
50 ml Weisswein
300 ml Fleischbouillon
40 g Butter
1 TL glatte Petersilie, gehackt
1 TL Majoran, gehackt
1 TL Basilikum, gehackt
50 ml Rahm, geschlagen
Salz, Pfeffer aus der Mühle

Das Fleisch mit Salz und Pfeffer würzen und in der heissen Öl-Butter-Mischung auf allen Seiten gut anbraten. Den Braten aus der Pfanne nehmen und die Gemüse darin andünsten. Das Tomatenpüree und das Mehl beigeben und gut verrühren. Mit dem Wein ablöschen. Das Fleisch zusammen mit dem Gemüse und dem Rotwein-Jus in einen Bräter geben, die Steinpilze beifügen und mit der Bouillon auffüllen. Thymian- und Rosmarinzweig beigeben. Zugedeckt 2 Stunden im auf 180 Grad vorgeheizten Ofen schmoren lassen.

Das Fleisch aus dem Bräter nehmen und warm stellen. Die Sauce durch ein Sieb passieren und zu einer leichten Sauce einkochen. Die kalte Butter hineinrühren und mit Salz und Pfeffer würzen.

Für den Risotto die Zwiebel in der Butter andünsten, den Reis beigeben und kurz mitdünsten. Mit dem Weisswein ablöschen, die Bouillon dazugiessen und auf kleinem Feuer unter wiederholtem Rühren 20 Minuten leise köcheln lassen.

Die Butter, die Kräuter und den geschlagenen Rahm beigeben und gut verrühren. Mit Salz und Pfeffer abschmecken.

Das Fleisch in Tranchen schneiden und mit dem Kräuterrisotto anrichten.

Das Tessin neigt sich nicht nur geografisch, sondern auch kulinarisch Italien zu. Die Minestrone, die berühmte Gemüsesuppe, gehört hier ebenso zum Alltag wie ein Risotto oder eine Polenta mit Käse. Diese Gerichte sind vollwertige Mahlzeiten oder werden zu einem Rindsbraten oder Kaninchenragout gereicht.

Beef Braised in Red Wine

1 kg/2 lbs top round of beef
2 tablespoons vegetable oil
30 g/1¼ oz butter
½ leek, diced
2 carrots, diced
1 onion, finely chopped
1 tablespoon tomato purée
2 tablespoons flour
600 ml/15 fl oz Merlot (red wine)
20 g/1 oz dried boletus mushrooms,
soaked and drained
400 ml/12 fl oz meat stock
1 sprig of rosemary
1 sprig of thyme
40 g/1½ oz cold butter

Risotto
20 g/1 oz butter
1 onion, finely chopped
120 g/4½ oz rice, unglazed
50 ml/1½ fl oz white wine
300 ml/9 fl oz meat stock
40 g/1½ oz butter
1 teaspoon parsley, chopped
1 teaspoon marjoram, chopped
1 teaspoon basil, chopped
50 ml/1½ fl oz cream, whipped
salt, freshly ground pepper

Season the meat with salt and pepper and brown well on all sides in the hot butter-oil mixture. Remove from the pan and sauté the vegetables in the remaining oil. Add the tomato purée and the flour and mix well. Add the wine. Place the meat, vegetables and red wine sauce in a roasting pan, add the mushrooms and fill with the meat stock. Add the thyme and rosemary sprigs. Cover and braise for 2 hours in a preheated oven at 180 °C/350 °F/ Mark 4.

Remove the meat from the roasting pan and keep warm. Pass the gravy through a sieve and simmer until the gravy thickens slightly. Stir in the cold butter and season with salt and pepper.

For the risotto, sauté the onions in the butter. Add the rice and allow to cook for a few minutes. Add the white wine, then the meat stock. Simmer over a gentle heat for 20 minutes, stirring often. Add the butter, herbs and whipped cream and mix well. Season with salt and peeper.

Slice the meat and serve with the risotto.

Geography and culinary tastes draw the Tessin towards Italy. Minestrone, the famous vegetable soup, is as much a part of the everyday diet here as risotto or polenta with cheese. These dishes are served either as full meals or as tasty occompaniments to roast beef or rabbit stew.

Der grösste Westschweizer Kanton reicht von den Alpen und den Hängen des Genfersees im Süden über das Mittelland bis an den französischen Jura. Von den bekannten Zentren Lausanne, Vevey und Montreux an der Côte – der von Weinbergen gesäumten Genferseeküste – reicht der Blick weit hinüber auf die Savoyer Alpen, bis hin zum Mont Blanc. Unzählige Dörfer und Bauernhöfe geben der von Flüssen durchzogenen Landschaft zwischen Lausanne und Yverdon am Neuenburgersee ihr Gepräge. Es ist deshalb nicht verwunderlich, dass die waadtländische Küche auf der Tradition der Bauern aufbaut. Saucissons (deftige Würste), Kohlgerichte und Kartoffeln, oft mit Käse und Rahm, werden hier gerne gegessen. Dazu gönnt man sich einen der einzigartigen Weissweine – sei es ein Féchy, ein Epesses, ein Aigle, oder wie sie alle heissen.

Waadt – Vaud

Vaud is the largest of the cantons of western Switzerland. It covers an area ranging from the Alps and Lake Geneva in the south, across the plateau region to the French Jura. The main population centres are Lausanne, Vevey and Montreux on the so-called Lake Geneva Riviera. It is a region of vine-covered slopes and uninterrupted views of the French Alps as far as Mont Blanc. Between Lausanne and Yverdon on Lake Neuchâtel, the landscape is characterized by innumerable villages and farming communities. So it is not surprising then that the cooking of the canton should be based on traditional rural recipes consisting of sausages, cabbage, potatoes, cheese and cream. Of course, a perfect accompaniment is a choice of one of the many outstanding white wines, such as Féchy, Epesses or Aigle.

Waadtländer Saucisson mit Lauchgemüse

600 g Waadtländer Saucisson (Siedwurst)

Lauchgemüse
1 Zwiebel, fein gehackt
1 Knoblauchzehe, gepresst
30 g Butter
1 kg Lauch, längs halbiert,
in feine Streifen geschnitten
2 EL Mehl
100 ml Weisswein
200 ml Rahm
100 ml kräftige Fleischbouillon
Salz, Pfeffer aus der Mühle

4 grosse Kartoffeln, geschält, geviertelt
glatte Petersilie

Für die Saucisson Wasser aufkochen und
die Wurst knapp unter dem Siedpunkt gar ziehen
lassen (30–40 Minuten).

Die Zwiebel und den Knoblauch in der Butter
andünsten, den Lauch beigeben und gut mischen.
Das Mehl darüberstäuben und mit dem Weisswein
ablöschen. Den Rahm und die Fleischbouillon dazugiessen und auf kleinem Feuer zu einem dickflüssigen Gemüseeintopf kochen. Mit Salz und Pfeffer
abschmecken.

Die Kartoffeln in gesalzenem Wasser weich
kochen.

Die Saucisson auf dem Lauchgemüse anrichten.
Mit den Kartoffeln umlegen und mit glatter Petersilie
garnieren.

Saucissons – etwa mit Leber oder mit Kohl – waren
schon immer eine Delikatesse der Bauern und der
Bürger des Waadtlands. Dass der Kanton eine füh-
rende Weinbauregion ist, merkt man nicht nur an
den vielen edlen Tropfen, sondern auch an der Ver-
wendung von Wein in der Küche, zum Beispiel in der
«Tarte au vin», einem beliebten Kuchen.

Vaudois Sausage with Leeks

600 g/1⅓ lb Vaudois sausage
(boiled sausage)

Leek Hot Pot
1 onion, finely chopped
1 clove of garlic, crushed
30 g/1¼ oz butter
1 kg/2 lbs leeks, halved lengthwise
and finely sliced
2 tablespoons flour
100 ml/3 fl oz white wine
200 ml/6 fl oz cream
100 ml/3 fl oz meat broth
salt, freshly ground pepper

4 large potatoes, peeled and quartered
parsley

To prepare the sausage, bring water to the boil and simmer the sausage gently for 30 to 40 minutes. The water should be just under the boil.

Sauté the onion and the garlic in the butter. Add the leeks and mix well. Sprinkle the flour onto the mixture and add the white wine. Add the cream and the meat stock and cook over a gentle heat until the vegetable hot pot is thick. Season with salt and pepper.

Boil the potatoes in salted water until they are soft.

Serve the sausage on top of the hot pot. Surround with the potatoes and garnish with parsley.

Sausages—with liver or cabbage—have always been a delicacy for Vaud's country and city folk. The fact that the canton is a leading wine-growing area is evident in the many noble wines produced and their liberal use in cooking. Take the "Tarte au vin" or "wine pie", for example, a great favorite.

Wallis – das Tal. Dies ist der einfache und treffende Name des grössten Alpentals, eingebettet zwischen Gletschern und weltberühmten Viertausendern. Das Matterhorn und Zermatt sind nur die bekanntesten der vielen Charakterberge und Kurorte dieses Kantons. Das Wallis hat wegen seines warmen Klimas und seiner günstigen Verkehrslage eine lange und wechselvolle Geschichte. Burgen, Kirchen und Passstrassen sind Zeugen dieser reichen Vergangenheit. Nirgendwo sonst in der Schweiz werden soviel Gemüse, Früchte und Wein produziert wie im Rhonetal zwischen Brig und dem Genfersee. Der Gegensatz zwischen karger Berglandschaft und fruchtbarem Talboden schlägt sich auch auf der Speisekarte nieder: Käsegerichte wie Raclette und Fondue, Tomaten und Aprikosen und ausgezeichnete Rot- und Weissweine.

Wallis – Valais

Valais: the Valley. This is the simple and appropriate name for the largest of the alpine valleys located between glaciers and world famous four-thousand-metre high peaks. The Matterhorn and Zermatt are two well-known mountains and resorts. Valais has a long and varied history, owing to its warm climate and to its geographical location, which favors transport and communications. Its many fortresses, churches and passroads are reminders of this rich history. Valais is also the food basket of Switzerland. Nowhere are so many vegetables, fruits and wines produced as in the Rhone valley between Brig and Lake Geneva. The contrast between barren mountain landscape and fruitful valley floor is reflected in the cooking: cheese dishes such as raclette and fondue, tomatoes and apricots and a wide variety of outstanding red and white wines.

Walliser Erdbeeren mit Rotweincreme

600 g Erdbeeren, geputzt
3 EL Puderzucker
2 TL Vanillezucker

Rotweincreme
500 ml Walliser Pinot noir (Rotwein)
50 g Zucker
200 ml Crème double (Doppelrahm)
1 TL Zimtpulver

4 Blatt Pfefferminze

Die Erdbeeren auf einem grossen Teller auslegen. Puderzucker und Vanillezucker vermengen und mit Hilfe eines Siebes über die Erdbeeren stäuben. 20 Minuten stehen lassen.

Für die Creme den Rotwein zusammen mit dem Zucker aufkochen und auf ein Drittel einkochen lassen. Auskühlen lassen, dann die Crème double und den Zimt daruntermischen.

Die kalte Creme zusammen mit den Erdbeeren anrichten und mit einem Blatt Pfefferminze garnieren.

Auf dem Walliser Talgrund wachsen neben Aprikosen und Tomaten auch Spargeln und natürlich die Reben. Der Kanton ist der grösste Weinproduzent der Schweiz. Die bekannteste Spezialität aber ist das Raclette, geschmolzener Käse, der mit Kartoffeln, Essiggurken, Perlzwiebelchen und einer Prise frisch gemahlenen Pfeffers gegessen wird.

Valais Strawberries with Red Wine Custard

600 g/1⅓ lb strawberries, washed
3 tablespoons icing sugar
2 teaspoons vanilla sugar

Red Wine Custard
500 ml/15 fl oz Valais Pinot noir (red wine)
50 g/2 oz sugar
200 ml/6 fl oz double cream
1 teaspoon cinnamon powder

4 peppermint leaves

Lay the strawberries out on a large plate. Using a sift, sprinkle with the icing sugar and the vanilla sugar and allow to rest for 20 minutes.

To prepare the custard, boil the red wine with the sugar and simmer until the liquid has reduced by a third. Allow to cool. Add the double cream and the cinnamon.

Serve the cold custard together with the strawberries and garnish with a peppermint leaf.

Apricots, tomatoes, asparagus and, of course, grapevines flourish on the bottom of the valley which gave this canton its name. It is the largest wine-producing canton in Switzerland. But the best known specialty is raclette: melted cheese served with boiled potatoes, pickles, pearl onions and a pinch of freshly ground pepper.

Eine einzigartige Landschaft und eine grosse Handwerkstradition sind dem Kanton Neuenburg eigen. Das Land zwischen Neuenburgersee und dem Doubs ist von langen parallellaufenden Tälern durchzogen. Der Kalkstein lässt das Regenwasser sofort versickern. Saftige Weiden wechseln sich ab mit lichten Wäldern. Die typischen, aus Stein gebauten Bauernhäuser scheinen im Boden fest verankert zu sein. Die Menschen sind hier Wind und Wetter ausgesetzt. Hat sich deshalb schon früh eine handwerkliche Tradition entwickelt, die ihren Zenit in den unnachahmlichen von Hand gefertigten Präzisionsuhren erreichte?

Die Küche entspricht der klaren Gliederung der Landschaft: einfache, nahrhafte Gerichte wie Saucisson, Gemüsekuchen und Fondue. Dazu ein Wein aus den Rebbergen der sonnenüberfluteten Neuenburger Côte.

Neuenburg – Neuchâtel

Canton Neuchâtel offers an exceptional landscape and a proud tradition in handicrafts. Situated between Lake Neuchâtel and the river Doubs, the region is carved into long, parallel valleys. The porous limestone bedrock lets the rainwater seep away immediately. Lush meadows alternate with sparse forested areas. Stone farm houses seem rooted in the ground. It is an area that has exposed man to the elements. Could this be why handicraft tradition developed, which resulted in the creation of matchless hand-made precision watches? The cooking of Neuchâtel reflects the obvious link to the land: simple, nourishing recipes such as sausages, vegetable tarts and cheese fondue enjoyed with a wine from the vineyards on the sun-drenched shores of Lake Neuchâtel.

85

Neuenburger Weinkuchen

140 g geriebener Teig (siehe Rezept Seite
50, jedoch nur ¼ TL Salz)
Butter und Mehl für die Form

Füllung
2 Eier
2 Eigelb
1 EL Stärkemehl
120 g Zucker
1 Prise Salz
½ TL Zimtpulver
1 Vanillestengel
300 g Trauben, halbiert, entkernt
200 ml Neuenburger Weisswein
30 g Butter

Eine Kuchenform von 26 cm Durchmesser ausbuttern und mit Mehl ausstäuben. Den Teig 2 mm dünn auswallen und die Form damit auslegen, den Rand und den Boden fest andrücken, den Boden mit einer Gabel einstechen.

Für die Füllung Eier und Eigelb zusammen mit Stärkemehl, Zucker, Salz und Zimtpulver schaumig rühren. Den Vanillestengel längs aufschneiden, den Samen auskratzen und zusammen mit den Trauben und dem Weisswein zur Eimasse geben. Die Füllung auf den Teigboden giessen, mit Butterflocken bestreuen und im auf 200 Grad vorgeheizten Ofen 30–35 Minuten backen.

Dank den Fängen aus dem weiten See erfreuen sich Fischspezialitäten im Kanton Neuenburg grosser Beliebtheit. Und auch die köstlichen Pilze aus dem Jura gehören hier zum Menü. Weisswein als Bestandteil von Gerichten – auch von süssen! – ist charakteristisch für die kulinarische Kultur der welschen Schweiz.

Wine Pie à la Neuchâtel

140 g/5 oz pastry dough (see Recipe
page 52, only ¼ teaspoon salt)
butter and flour for the pie tin

Filling
2 eggs
2 egg yolks
1 tablespoon cornflour
120 g/4½ oz sugar
1 pinch salt
½ teaspoon cinnamon powder
1 dried vanilla bean
300 g/11 oz grapes, halved and pitted
200 ml/g fl oz Neuchâtel white wine
30 g/1¼ oz Butter

Butter a 26 cm/10 inch pie tin and sprinkle with flour.
Roll out the pastry dough to a thickness of 2 mm/
⅛ inch and lay the dough in the tin. Press the edges
and bottom firmly down and pierce the bottom several times with a fork.

Mix the eggs and egg yolks with the cornflour,
sugar, salt and cinnamon, stirring until the mixture is
foamy. Slice the vanilla beans lengthwise and scoop
out the seeds. Add these with the grapes and white
wine to the egg mixture. Pour onto the pastry
dough, sprinkle with butter flakes and bake in a preheated oven at 200 °C/400° F/Mark 6 for 30–35
minutes.

The broad lake provides more than food for thought
in the canton of Neuchâtel! Fish specialties are very
popular, and are often prepared with delectable
mushrooms from the Jura. Characteristic of French-
Swiss cuisine, no dish is complete without white
wine—even desserts!

Genf ist eine internationale Stadt. Fast täglich finden Konferenzen im UNO-Gebäude oder am Hauptsitz des Roten Kreuzes statt. Dies ist eine fast natürliche Folge der Genfer Geschichte, denn die alte Republik und der heutige Kanton Genf rühmten sich immer schon ihrer Weltoffenheit. Weit über die Landesgrenzen bekannt sind Männer wie Calvin, Rousseau, Henri Dunant und General Dufour, die der Stadt mit dem grossen Springbrunnen entstammten. Der Kanton liegt eingebettet zwischen den Ausläufern der Savoyer Alpen und des Juras, am westlichen Ende des Genfersees. Klar, dass das milde Seeklima die Landwirtschaft und vor allem den Weinbau begünstigt. Die leichten und bekömmlichen Weine, die Fischerei und die Nähe zu Frankreich prägen die Küchenkultur der westlichen Ecke der Schweiz entscheidend mit.

Genf – Genève – Geneva

Geneva is an international city. Nearly every day conferences take place here at the European headquarters of the United Nations or the International Red Cross. This internationality and openness to the world is part of the history of Geneva. Men such as Calvin, Rousseau, Henri Dunant and General Dufour came from Geneva and are known well beyond the borders of this city, whose landmark is the powerful fountain sending water high into the air. The canton is situated between the foothills of the French Alps and the Jura range at the west end of Lake Geneva. The mild climate favors agriculture and wine growing in particular. The cuisine in this western corner of Switzerland is characterized by the light wines, fishing and the proximity to France.

89

Saiblinge aus dem Genfersee in Gamay

4 Saiblinge, ausgenommen, gut gespült
4 Zweige Dill
20 g Butter
2 Schalotten, fein gehackt
300 ml Gamay (Rotwein)
200 ml Rahm
2 Zweige Estragon, fein gehackt
½ Bund Schnittlauch, fein geschnitten
3 EL geschlagener Rahm
Salz, Pfeffer aus der Mühle

Die Saiblinge innen etwas salzen und mit je einem Zweig Dill füllen.

Die Schalotten in der Butter glasig dünsten, den Rotwein dazugiessen und auf kleinem Feuer auf ein Drittel einkochen. Den Rahm beigeben und auf die Hälfte einköcheln lassen.

Die vorbereiteten Fische in die Sauce legen, zudecken und bei schwacher Hitze gar ziehen lassen. Die Saiblinge vorsichtig aus der Sauce heben und die Fische auf vorgewärmten Tellern oder einer vorgewärmten Platte anrichten.

Die gehackten Kräuter in die Sauce geben, den geschlagenen Rahm beigeben und unter Rühren aufkochen. Nochmals abschmecken. Die Sauce über die Saiblinge giessen und mit frischen Kräuterzweigen garnieren. Als Beilage passen Salzkartoffeln.

Zwei typische Zutaten aus dem Kanton Genf sind in diesem Rezept enthalten: Fische aus dem Genfersee mit perlendem Gamay aus den nahen Rebbergen. Die einstigen Patrizier wie die heutigen Bürger des Staates Genf mochten und mögen die französische Küche und ergänzen sie mit Zutaten aus der Region.

Lake Geneva Chard Simmered in Gamay

4 chard, gutted and rinsed thoroughly
4 sprigs of dill
20 g/1 oz butter
2 shallots, finely chopped
300 ml/9 fl oz Gamay (red wine)
200 ml/6 fl oz cream
2 sprigs of tarragon, finely chopped
½ bunch of chives, finely chopped
3 tablespoons cream, whipped
salt, freshly ground pepper

Salt the insides of the char and put a sprig of dill in each.

Sauté the shallots in the butter until they are transparent. Add the red wine and simmer over a gentle heat until the wine is reduced to a third. Add the cream and simmer until the mixture is further reduced to a half.

Place the fish in the sauce, cover and cook gently over a low heat. Lift carefully out of the sauce and place on prewarmed plates or a platter.

Add the chopped herbs to the sauce. Add the whipped cream and stirring constantly, bring to the boil. Taste for seasoning. Pour the sauce over the fish and garnish with the fresh herbs. Boiled potatoes are a delicious accompaniment to this dish.

This recipe contains two typical ingredients from the canton of Geneva: Lake Geneva fish and pearly Gamay wine from the near-by vineyards. Like the Patricians before them, today's citizens of Geneva enjoy French cuisine and enhance it with their own local ingredients.

Der Jura ist der jüngste Schweizer Kanton, entstanden, weil sich die Jurassier in Sprache und Mentalität erheblich von den Bernern unterscheiden. Kaum überquert man vom deutschsprachigen Kanton Bern kommend den ersten Jurazug, findet man sich in einer anderen Welt wieder. Relativ abgeschlossen entwickelte sich hier eine bäuerliche Kultur, in der vor allem die Weidewirtschaft eine grosse Rolle spielt. Überall grasen Pferde und Kühe. Mitten in der Weidelandschaft stehen Baumgruppen oder kleine Wälder. Die sanften und langgezogenen Hügelzüge ziehen viele Wanderer und Skilangläufer an, die den Blick über das Mittelland bis zu den Alpen und die Gastfreundschaft der Einheimischen geniessen. Die jurassische Küche ist geprägt von den Produkten der Landwirtschaft. Berühmt sind die Käse, allen voran der Tête de Moine und der Vacherin.

Jura

Jura is the youngest canton. The area used to be part of Canton Bern but it separated because the people felt that they were different from the Bernese in language and mentality. Crossing into Canton Jura from German-speaking Bern, one feels in another world. A relatively isolated farm culture has developed here, based primarily on the pasturing of horses and cows. Stands of trees or small woodlands break up the meadow landscape. The rolling hills are a big attraction for walkers and cross-country skiers who enjoy the view down over the plateau region all the way to the Alps. The local hospitality is also renowned. The cooking of the canton is based on regional farm products, in particular the cheeses such as the Tête de Moine and Vacherin.

Mijeule – Kirschengratin

2 Scheiben altes Weissbrot, Rinde entfernt
200 ml Milch
3 Eier
120 g Zucker
40 g Butter
2 EL Mehl
1 Prise Salz
80 g dunkle Schokolade, grob gehackt
500 g Kirschen, entsteint
Butter für die Form
Puderzucker zum Bestäuben
Pfefferminzblätter

Das Weissbrot in eine Schüssel geben. Die Milch erhitzen und über das Weissbrot giessen. 10 Minuten ziehen lassen. Die Eier verquirlen und mit dem eingeweichten Weissbrot vermengen. Zucker, Butter, Mehl, Salz und die grob gehackte Schokolade beigeben und gut vermischen. Zuletzt die Kirschen hinzufügen.

Eine Gratinform mit Butter ausstreichen, mit der Kirschmasse füllen und im auf 200 Grad vorgeheizten Ofen 25 Minuten überbacken. Mit Puderzucker bestäuben und mit Pfefferminze garnieren. Zusammen mit einer Vanillesauce oder einem Vanilleeis servieren.

Die Vieh- und Käsewirtschaft dominiert die jurassische Speisekarte. Anders als in den Alpenkantonen ist hier aber die Nähe Frankreichs erkennbar, an feinen Omeletts oder auch an einfachen Gerichten mit den Fischen aus dem Grenzfluss Doubs. Obstgerichte, vor allem mit Kirschen, finden sich im Nordteil des Kantons.